Alltag, Beruf & Co. 1

Kursbuch + Arbeitsbuch

Norbert Becker

Jörg Braunert

Hueber Verlag

Zu **Alltag, Beruf & Co. 1** gehören die Audio-CD zum Kursbuch (ISBN 978–3–19–131590–0),
das Wörterlernheft (ISBN 978–3–19–151590–4) und das Lehrerhandbuch (ISBN 978–3–19–141590–7).
Weitere Materialien zu diesem Lehrwerk finden Sie in unserem Internet-Lehrwerkservice unter
www.hueber.de/alltag-beruf.

Beratung:

Dr. Bernd Zabel, Goethe-Institut, Leiter der Spracharbeit in Schweden

Zeichenerklärung

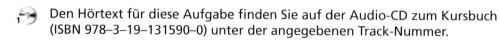 Den Hörtext für diese Aufgabe finden Sie auf der Audio-CD zum Kursbuch
(ISBN 978–3–19–131590–0) unter der angegebenen Track-Nummer.

AB 1 Den Hörtext für diese Aufgabe finden Sie auf der in diesem Buch eingeklebten
Audio-CD zum Arbeitsbuch (Übungsteil) unter der angegebenen Track-Nummer.

S. 12 A Hierzu gibt es eine Übung im Arbeitsbuchteil auf der angegebenen Seite.
In diesem Beispiel ist es die Übung A auf Seite 12.

Gr. S. 11, 1-3 Eine erklärende Darstellung zu diesem Grammatikthema finden Sie
auf der angegebenen Seite im angegebenen Abschnitt. In diesem Beispiel sind es
die Abschnitte 1 bis 3 auf Seite 11.

6. 5. 4.   Die letzten Ziffern
2015 14 13 12 11   bezeichnen Zahl und Jahr des Druckes.
Alle Drucke dieser Auflage können, da unverändert, nebeneinander benutzt werden.
1. Auflage
© 2009 Hueber Verlag, 85737 Ismaning, Deutschland
Layout und Satz: DESIGN IM KONTOR, München: Iris Steiner, Andreas von Hacht
Zeichnungen: Michael Luz, Stuttgart
Druck und Bindung: Firmengruppe APPL, aprinta druck, Wemding
Printed in Germany
ISBN 978–3–19–101590–9

Liebe Lehrerinnen und Lehrer,
Liebe Lernerinnen und Lerner,

Sie halten den ersten Band des sechsteiligen Lehrwerks **Alltag, Beruf & Co. (AB&C)** in der Hand. Die sechs Bände decken die Stufen A1, A2 und B1 des Gemeinsamen Europäischen Referenzrahmens ab. Sie führen zu den Prüfungen Start Deutsch 1 (A1), Start Deutsch 2 (A2) und zum Zertifikat Deutsch (B1).

Für welche Lernergruppen ist AB&C gedacht?

Das Lehrwerk wendet sich an Lerner, die in Deutschland, Österreich oder der Schweiz leben wollen, die dort arbeiten wollen oder mit deutschsprachigen Geschäftspartnern zu tun haben.

Die Verbindung von Alltag und Beruf

Wer sich heutzutage zum Erlernen der deutschen Sprache entschließt, hat dafür meist berufliche Gründe. Man benötigt Sprachkenntnisse, um die alltäglichen Lebensbedürfnisse zu bewältigen und um sich in der beruflichen Wirklichkeit zurechtzufinden. AB&C stellt sich beiden Anforderungen. Es verlangt von Ihnen nicht die Entscheidung zwischen „mehr Allgemeinsprache" oder „mehr Berufssprache". Erstmals haben Sie mit AB&C ein Lehrwerk, das die Trennung von beiden Bereichen überwindet.

In den kurzen, überschaubaren 10 Lektionen serviert AB&C den Lernstoff in kleinen Portionen. Die erste Doppelseite der Lektion enthält Situationen, Inhalte, Wortschatz und Mitteilungsabsichten aus **lebensnahen Alltagssituationen**.

Die zweite Doppelseite greift den Stoff der ersten Doppelseite wieder auf und überträgt und erweitert ihn ins **berufliche Umfeld**.
Ist für Sie der Alltag oder die berufliche Seite wichtiger? Sie, die Kursteilnehmer und Lehrkräfte, können entscheiden.

Die Lektion endet mit dem **Magazin** – Lese-, Hör- und Übungsangebote, manchmal überraschend, manchmal am Rande der Wirklichkeit und

manchmal nicht ganz ernst gemeint.
Auf der gegenüberliegenden Seite finden Sie den **Grammatikstoff der Lektion** – zum Nachschlagen, zur Kontrolle und zum Wiederholen.

Für die Vertiefung im Unterricht und für die Arbeit zu Hause folgt nun zu jeder Doppelseite in der Lektion jeweils eine Doppelseite **Übungen**. Mit dem Kursbuch erwerben Sie die **CD mit den Hör- und Sprechübungen** dieser Seiten. Damit wird AB&C zu einem kompakten Kraftpaket.

Am Ende des Kursbuchs finden Sie einen **Abschlusstest**.

Das Lehrerhandbuch enthält neben einer leicht verständlichen Begründung des didaktisch-methodischen Ansatzes einen Vorschlag zur Unterrichtsgestaltung für jede Lektion, dazu die Transkripte der Hörtexte und -übungen und den Lösungsschlüssel. Nach den Lektionen 2, 4, 6, 8 und 10 finden Sie Kopiervorlagen mit Lern-Kontrolltests.

Das Wörterlernheft präsentiert den Lernwortschatz einer jeden Lektion mit einem typischen erklärenden Kontext, schließt Übungen zur Vertiefung und Selbstüberprüfung an und lässt Raum für Notizen.

Zum Lernpaket gehört auch eine **CD mit den Hörübungen und Dialogen** des Lektionsteils. Weitere Übungsangebote finden Sie im **Internet** im Lehrwerkservice von **Alltag, Beruf & Co**. unter www.hueber.de/alltag-beruf

Viel Spaß und Erfolg beim Lehren und Lernen wünschen Ihnen

Autoren und Verlag

Inhalt

Inhalt

Guten Tag, da sind Sie ja!

Istvan Kada

Erika Brenner

Huang Lihua

Diego Sánchez

Charlotte Leutwiller

Samira Mutinda

KURSLISTE

Kurs:
Alltag, Beruf & Co.

Lehrerin:
Frau Erika Brenner

Familienname		Vorname	Land	Stadt
Frau	Huang	Lihua	China	Hongkong
Herr	Kada	Istvan	Ungarn	Kapuvar
Frau	Leutwiller	Charlotte	Schweiz	Thun
Frau	Mutinda	Samira	Tansania	Dar-es-Salaam
Herr	Sánchez	Diego	Mexiko	Puebla

1
● Guten Tag. Ich heiße Diego, Diego Sánchez.
■ Guten Tag, Herr Sánchez. Ich heiße Huang Lihua.
▼ Hallo, Diego!
● Hallo, Samira. Das ist Frau Lihua.
■ Hallo, Samira. Aber ich heiße Huang. Lihua ist der Vorname. Huang ist der Familienname.
● Ach so. Bist du auch Studentin?
■ Ja.
▶ Ich höre, du bist Studentin. Ich bin auch ...

2
✳ Grüß dich, Samira.
▼ Hallo, Charlotte. Das ist Diego Sánchez.
✳ Guten Tag, Diego.
● Charlotte, das ist Huang Lihua. Aber der Vorname ist Lihua.
▲ Guten Tag. Ich heiße Kada, Istvan Kada. Ich lerne auch Deutsch.

1   Begrüßung und Vorstellung

Begrüßen Sie die anderen Kursteilnehmer und die Lehrerin / den Lehrer.
Stellen Sie Kursteilnehmer anderen Kursteilnehmern vor.

2   Guten Tag!

S.12 A

a) Hören Sie. Ist das richtig ℛ oder falsch ℱ ?

1	Samira	kommt	aus Tansania. ℛ
2	Lihua	wohnt	nicht in Dresden.
3	Kapuvar	ist	in Österreich.
4	Die Studentin	heißt	Leutwiller.

5	In Mexiko	lernt	Diego Deutsch.
6	Charlotte	ist	Studentin.
7	Jetzt	wohnt	Lihua in Bern.
8	Charlotte	kommt	aus der Schweiz.

b) Schreiben Sie die Sätze richtig.

1 Istvan Kada kommt aus Mexiko.   *Istvan Kada kommt aus Ungarn.*

2 Der Vorname von Frau Leutwiller ist Samira.   _____

3 Jetzt wohnt Lihua hier in Wien.   _____

4 Charlotte Leutwiller kommt aus Österreich.   _____

5 Samira wohnt in Wien.   _____

3 Schreiben Sie: Vornamen und Familiennamen

Heukäufer Julia Sonnhalde 3	5 57 99 36
Heumann U. Gießen- 9	2 54 82
Heun Otmar und Mary Tivoli- 35	Tel/Fax 2 50 55
Heunemann Waldemar Husserl- 4	8 09 59 86
Heureuse-Harosky Ricarda d'	8 79 01
Heuring Ingolf u. Gerlinde Mozart- 33	5 55 95 90
Heusel Corinna	0160 90 33 25 01
– – Dieter Hansjakob- 89	6 37 55

Vornamen
Corinna, _____

Familiennamen
Heuring, _____

_____   _____

_____   _____

_____   _____

4 Guten Tag. Wie heißt du?

S. 12 B
S. 12 C

Fragen und antworten
▲ *Guten Tag. Wie heißt du?*
● *Ich heiße Istvan.*
▲ *Und wie ist der Familienname?*
● *Kada.*
▲ *Woher kommst du, Istvan?*
● *Ich komme aus Kapuvar.*
▲ *Wo ist das?*
● *Das ist in Ungarn.*

Notizen machen
Vorname: Istvan
Familienname: Kada
Land: Ungarn
Stadt: Kapuvar

Berichten
Istvan Kada kommt aus Kapuvar. Das ist in Ungarn. Istvan ist der Vorname. Kada ist der Familienname.

Gr. S. 11, 1-3

Schreiben: *Istvan kommt aus Kapuvar in Ungarn. Istvan ist der Vorname. Kada ist der Familienname ...*

S. 13 D
S. 13 E

Buchstabieren: *Istvan: ii – ess – tee – fau – aa – enn*

A	B	C	D	E	F	G	H	I	J	K	L	M	N	O
aa	*bee*	*tsee*	*dee*	*ee*	*eff*	*gee*	*haa*	*ii*	*jott*	*kaa*	*ell*	*emm*	*enn*	*oo*

P	Q	R	S	T	U	V	W	X	Y	Z	Ä	Ö	Ü
pee	*kuu*	*err*	*ess*	*tee*	*uu*	*fau*	*wee*	*iks*	*üpsilon*	*zett*	*ää*	*öö*	*üü*

5 Spielen Sie „begrüßen und vorstellen" in der Klasse.

S. 13 F
S. 13 G
S. 13 H

■ *Ich heiße Huang Lihua. Ich komme aus China.*
▲ *Ich heiße Sánchez.*
■ *Und wo wohnst du?*
▲ *In Zürich. Und du?*

■ *Die Lehrerin heißt Brenner. Sie kommt aus Köln.*
▲ *Ah, Frau Brenner aus Köln. Und wie ist der Vorname?*

Gr. S. 11, 3-5

■ *Walter, das ist Isabel.*
▲ *Hallo, Isabel. Woher kommst du? Aus Spanien?*

Konferenz für Kunden 2009
♡lich willkommen!

Frau Lea Kahlo
Wien/Österreich, Firma Austratec
Frau Beate Bühler
Basel/Schweiz, Firma S&L
Herr Toni Basuno
Rom/Italien, Firma Ultracom
Herr Sören Bläser, Lüneburg/
Deutschland, Firma Weidrich AG
Herr Rüdiger von Römer, Bärenthal/
Deutschland, Firma Concept B+
Frau Dr. Käthe Wehner, Göteborg/
Schweden, Firma Norian AB
Herr Rudi Valtino, Dresden/
Deutschland, Firma BMW AG
Frau Nina Thomas
Chur/Schweiz, Firma Wäggeli AG

5
■ Guten Tag. Ich heiße Valtino. Ich komme aus Dresden.
● Guten Tag, Herr Valtino. Mein Name ist Bühler. Beate Bühler.
■ Freut mich. Woher kommen Sie, Frau Bühler?
● Ich komme aus Basel. Ich bin Elektroingenieurin von Beruf und arbeite bei der Firma S & L.
■ Und ich bin ...

6
▲ Sind Sie Frau Thomas aus Chur?
► Ja, Nina Thomas. Und wie heißen Sie bitte?
▲ Ich heiße Valtino, Rudi Valtino. Ich arbeite bei BMW in Dresden.
► Freut mich. Ich arbeite als Vertriebsmitarbeiterin bei der Firma Wäggeli AG.
▲ Und wer ist der Herr da?
► Das ist ...

Sekretärin
Informatiker
Vertriebsleiter
Programmiererin
Ingenieurin
Maschinenbautechniker

6   Konferenzteilnehmer begrüßen

S. 14 I

Schreiben Sie Ihre eigenen Daten in die Teilnehmerliste „Konferenz für Kunden 2009": Vorname, Familienname, Wohnort ...
Begrüßen Sie Konferenzteilnehmer.

■ Guten Tag, ich heiße Miriam Olegin. Ich komme aus Russland.
► Freut mich. Mein Name ist ...

▲ Sind Sie Frau Olegin?
● Ja, und wie heißen Sie?
▲ Ronald Wasitzki. Arbeiten Sie bei der Firma Häuser?
● Ja, als Sekretärin im Büro.   Gr. S.11, 1

7 **Name, Wohnort, Beruf und Funktion**

S. 14 J

a) Hören Sie und kreuzen Sie an.

1	☒ Rudi	A Tretino		A Dresden.
	B Khuri	B Valtino	kommt aus	B Bremen.
	C Udo	C Talvino		C Göteborg.
2	A Renate	A Bierer		A Basel.
	B Beate	B Bührer	kommt aus	B Aachen.
	C Agathe	C Bühler		C Prag.
3	A Tina	A Doemas		A Chur.
	B Nina	B Ohmers	kommt aus	B Rom.
	C Fina	C Thomas		C Thun.
4	A Gökan	A Bläser		A Lüdenscheid.
	B Sören	B Pläser	kommt aus	B Lienenberg.
	C Zeran	C Blees		C Lüneburg.

S. 14 K
S. 15 L

b) Hören Sie noch einmal. Schreiben Sie die Vornamen und Familiennamen.

1 _Rudi_ _____ _____ ist Informatiker von Beruf und arbeitet als Programmierer.

2 _____ _____ ist Elektroingenieurin von Beruf und arbeitet als Produktionsleiterin.

3 _____ _____ ist Bürokauffrau von Beruf und arbeitet als Vertriebsmitarbeiterin.

4 _____ _____ ist Student und arbeitet als Praktikant. Gr. S.11, 5

8 **Ordnen Sie zu und sprechen Sie.**

„pee-tsee", das heißt „der Rechner". Die Internet-Adresse ist www.pcwelt.de: wee-wee-wee-Punkt-pee-tsee-wee-ell-...

PC	pee-tsee	Systeme-Anwendungen-Produkte	www.man.de
MAN	emm-aa-enn	die Europäische Union	www.vw.de
BMW	bee-emm-wee	der Rechner, Computer	www.sap.com
SAP	ess-aa-pee	Volkswagen	www.bmw.de
VW	fau-wee	Bayerische Motorenwerke	http://europa.de
EU	ee-uu	Maschinenfabrik Augsburg Nürnberg	www.pcwelt.de

9 **Du oder Sie?**

S. 15 M

	0%	25%	50%	75%	100%
Kollegen ⟷ Kollegen			du Sie		
Mitarbeiter ⟷ Chef		du			Sie
Bekannte ⟷ Bekannte			Sie	du	
junge Leute ⟷ junge Leute	nie	Sie manchmal		du	immer
Unbekannte > 25 J. ⟷ Unbekannte > 25 J.	du	selten		oft	Sie
Kinder ⟷ Eltern		Sie			du
Kinder ⟷ (unbekannte) Erwachsene		du			Sie
Kursteilnehmer ⟷ Kursteilnehmer			Sie	du	

Ist es bei Ihnen auch so?

10 **Begrüßen, vorstellen, kennenlernen**

Guten Tag. Ich heiße ... Wie heißt du?   Sind Sie Informatiker?

Gr. S.11, 2-4

Khuri. Woher kommst du?   Nein, ich bin Informatikstudent. Und Sie?

11 Da bist du ja! Da sind Sie ja!

S.15 N

- ● *Hallo, Lea, grüß dich!*
  Da bist du ja! Prima!
- ■ *Grüß dich, Henning.*
  Das ist Rania, eine Freundin.
- ● *Hallo, Rania!*
- ▶ *Hallo, Henning.*
- ● *Und? Alles okay?*
- ■ *Alles okay!*

Wo sagen die Leute „du"? Wo sagen die Leute „Sie"?
Begrüßen Sie Leute mit „du" und mit „Sie".

- ● *Da sind Sie ja, Frau Gorsk. Guten Tag.*
- ■ *Guten Tag, Herr Zähringer.*
  Herr Zähringer, das ist Frau Jentrup,
  eine Kollegin.
- ● *Guten Tag, Frau Jentrup. Freut mich.*
- ▶ *Guten Tag, Herr Zähringer.*
- ● *Und? Ist alles in Ordnung?*
- ■ *Ja, danke, alles in Ordnung!*

12 Guten Tag, Frau Bürola!

S. 15 O

Hören Sie den Dialog. Wer macht was falsch?

1 Verben: Konjugation

	sein	kommen	heißen	_____en	arbeiten
ich	**bin**	komme	heiße	_____e	arbeite
du	**bist**	kommst	heißt	_____st	arbeitest
Sie	**sind**	kommen	heißen	_____en	arbeiten
er/sie	**ist**	kommt	heißt	_____t	arbeitet

2 Fragewörter

wie?	Wie heißt du?	woher?	Woher kommt Frau Bühler?
wo?	Wo wohnen Sie?	was?	Was ist Samira Mutinda von Beruf?
wer?	Wer ist das?	als was?	Als was arbeitet Tom?

3 Präpositionen

in	in Dar-es-Salam, in Tansania
aus	aus Rom, aus Italien
von	(Informatiker) von Beruf
als	als Praktikantin (arbeiten)
bei	bei der Firma Wäggeli AG (arbeiten)

4 Personalpronomen: er/sie

er	sie
Peter	Lea
Herr Kada	Frau Mutinda
der Rechner	die Liste

5 Satzbau

1	Verb	...
Ich	wohne	jetzt in Wien.
Jetzt	wohne	ich in Wien.
In Wien	wohne	ich jetzt.
Wo	wohnst	du jetzt?
	Wohnen	Sie jetzt in Wien?

Wichtige Wörter und Wendungen

Begrüßung

Guten Tag, Herr Sánchez / Beate.
Grüß dich, Beate.
Hallo (, Beate)!
Mein Name ist Bläser.
Entschuldigung, sind Sie Herr Basuno?
Freut mich.   Prima!
Alles in Ordnung?   Alles okay?

Fragen

Wie heißt du?	Wie ist der Vorname?
Wo wohnen Sie?	Woher kommt sie?
Was ist Lea von Beruf?	Als was arbeitet Victor?
Bist du Studentin?	Kommen Sie aus Ungarn?

Unterrichtskommunikation

Buchstabieren Sie.	Kreuzen Sie die Vornamen an.
Schreiben Sie.	Berichten Sie.
Ordnen Sie zu.	Ist das richtig oder falsch?
Bitte hören Sie.	

Beruf: männlich – weiblich

_____(er)	_____(er)in
der Informatiker	die Informatikerin
der Lehrer	die Lehrerin
der Praktikant	die Praktikantin
der Betriebswirt	die Betriebswirtin

A **Schreiben Sie.**

a) Huang Lihua: Guten Tag. Ich___ heiße___ Lihua, Huang Lihua. Lihua _____ der _____.

_____ _____ auch Studentin?

Charlotte: Ja, _____ _____ Studentin. _____ _____ Charlotte Leutwiller.

Huang Lihua: Charlotte, _____ _____ Tim Boonen.

Charlotte: Grüß dich, Tim. Lernst _____ auch Deutsch?

Tim Bohnen: Ja, und _____ ?

b)

Städte	Länder	Vornamen	Familiennamen
_____	_____	Samira_____	_____
_____	_____	_____	_____
_____	_____	_____	_____
_____	_____	_____	_____
_____	_____	_____	_____
_____	_____	_____	_____

Mutinda
Nina
~~Samira~~
Hongkong
Italien
Budapest

| Sánchez | China | Schweden | Schweiz | Diego | Kada | Mexiko | Lihua | Leutwiller |
| Wien | Charlotte | Polen | Rudi | Kapuvar | Thomas | Bern | von Römer | Dresden |

B **Ordnen Sie zu.**

a)
A	Wie heißt du?	1	Ich auch.
B	Woher kommst du?	2	Ja, Erika Brenner.
C	Wo lernst du Deutsch?	3	Diego.
D	Ist das Frau Brenner?	4	Samira.
E	Wo ist Basel?	5	Aus Tansania.
F	Ist Kapuvar eine Stadt?	6	In Bonn.
G	Charlotte lernt Deutsch.	7	In der Schweiz.
H	Wie ist der Vorname?	8	Ja, eine Stadt in Ungarn.

b)
A	Wo wohnst du?	1	Aus Paris.
B	Wo ist Kapuvar?	2	Hallo!
C	Woher kommst du?	3	In Bonn.
D	Wie ist der Vorname?	4	Tim oder Tom.
E	Wie heißt du?	5	Heißt du nicht Tom?
F	Kommt Kossi aus Togo?	6	In Ungarn.
G	Hallo, Sören!	7	Ja.
H	Charlotte, das ist Tim.	8	Ich? Sören.

C **Schreiben Sie.** wie | wo | woher

Woher_____ kommt er? _____ wohnt er? _____ heißt er?

Heißt er Müller oder Miller? Oder _____ ist der Familienname?

_____ wohnt er jetzt?

_____ lernt er Deutsch? _____ heißt der Lehrer?

_____ kommt er und _____ wohnt er?

D **Buchstabieren Sie die Familiennamen.**

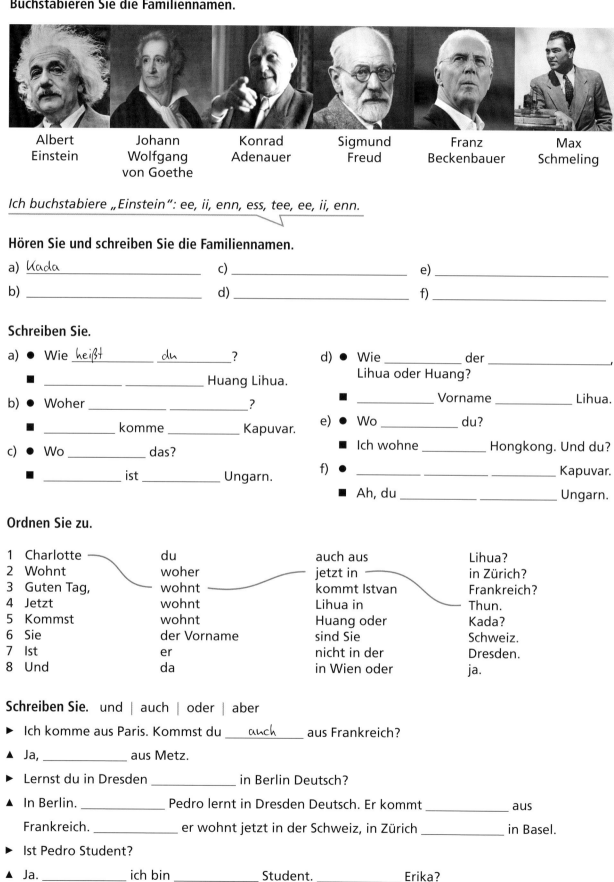

| Albert Einstein | Johann Wolfgang von Goethe | Konrad Adenauer | Sigmund Freud | Franz Beckenbauer | Max Schmeling |

Ich buchstabiere „Einstein": ee, ii, enn, ess, tee, ee, ii, enn.

E **Hören Sie und schreiben Sie die Familiennamen.**

a) Kada _____   c) _____   e) _____

b) _____   d) _____   f) _____

F **Schreiben Sie.**

a) ● Wie heißt _____ du _____?

   ■ _____ _____ Huang Lihua.

b) ● Woher _____ _____?

   ■ _____ komme _____ Kapuvar.

c) ● Wo _____ das?

   ■ _____ ist _____ Ungarn.

d) ● Wie _____ der _____,
   Lihua oder Huang?

   ■ _____ Vorname _____ Lihua.

e) ● Wo _____ du?

   ■ Ich wohne _____ Hongkong. Und du?

f) ● _____ _____ _____ Kapuvar.

   ■ Ah, du _____ _____ Ungarn.

G **Ordnen Sie zu.**

1 Charlotte	du	auch aus	Lihua?
2 Wohnt	woher	jetzt in	in Zürich?
3 Guten Tag,	wohnt	kommt Istvan	Frankreich?
4 Jetzt	wohnt	Lihua in	Thun.
5 Kommst	wohnt	Huang oder	Kada?
6 Sie	der Vorname	sind Sie	Schweiz.
7 Ist	er	nicht in der	Dresden.
8 Und	da	in Wien oder	ja.

H **Schreiben Sie.** und | auch | oder | aber

► Ich komme aus Paris. Kommst du ___auch___ aus Frankreich?

▲ Ja, _____ aus Metz.

► Lernst du in Dresden _____ in Berlin Deutsch?

▲ In Berlin. _____ Pedro lernt in Dresden Deutsch. Er kommt _____ aus

   Frankreich. _____ er wohnt jetzt in der Schweiz, in Zürich _____ in Basel.

► Ist Pedro Student?

▲ Ja. _____ ich bin _____ Student. _____ Erika?

► Erika ... hm, Erika ist Studentin _____ Lehrerin.

I   Und Herr Valtino?

a) 1 Ich arbeite bei der Firma Wäggeli. *Und wo arbeitet Herr Valtino?*

2 Ich bin Sekretärin von Beruf.   *Und was* _____ ?

3 Ich wohne in Basel.   _____ ?

4 Ich komme aus Italien.   _____ ?

5 Ich arbeite in Köln.   _____ ?

AB 2   **b)** Hören und sprechen: Und Herr Valtino?   ▲ *Ich arbeite bei der Firma Wäggeli.*
■ *Und wo arbeitet Herr Valtino?*

J   Die betonten langen Vokale: Be a-a-a-a te, G ö ö ö ö teborg ...

a) Schreiben Sie die Vornamen, Familiennamen und Städte.

Rüdiger | ~~Bläser~~ | Nina | Riemann | von Römer | ~~Beate~~ | Chur | Bühler | Thomas | Rudi | Göteborg | Lea | Käthe | Sören | Wien | ~~Basel~~ | Kahlo | Rom | Dresden | Bärenthal | Wehner | Lüneburg | Toni | Basuno

	Vornamen	Familiennamen	Städte
a	Beate		Basel
ä		Bläser	
e			
i			
o			
ö			
u			
ü			

AB 3   **b)** Hören und sprechen.

▲ *Beate Kahlo aus Basel?*
■ *Nein, Lea Kahlo aus Wien.*

Vorname	Familienname	Stadt
Lea	Kahlo	Wien
Sören	Bläser	Lüneburg
Käthe	Wehner	Göteborg
Nina	Thomas	Chur
Rüdiger	von Römer	Bärenthal
Toni	Basuno	Rom
Beate	Bühler	Basel

K   Schreiben Sie Sätze.

1 Beate Kahlo aus Basel? Nein!

Frau Kahlo heißt Lea. Sie kommt aus Wien.

2 Häkis Bläser aus Bärenthal? Nein!

_____

3 Lea Wehner aus Dresden? Nein!

_____

4 Sören von Römer aus Göteborg? Nein!

_____

5 Lydia Bühler aus Lüneburg? Nein!

_____

6 Rudi Basuno aus Chur? Nein!

_____

L Männlich – weiblich

	männlich	weiblich		männlich	weiblich
a)	der Mitarbeiter	*die Mitarbeiterin*	f)	der Lehrer	_____
b)	der Programmierer	_____	g)	_____	die Ingenieurin
c)	_____	die Informatikerin	h)	der Kollege	_____
d)	der Elektroingenieur	_____	i)	_____	die Praktikantin
e)	_____	die Kursteilnehmerin	j)	der Student	_____

M Ist das nie (<1), selten (1–3), manchmal (4–6), oft (7–10) oder immer (>10)?

a) Schreiben Sie in die Lücken: nie | selten | manchmal | oft | immer

7 Mo	8 Di	9 Mi	10 Do	11 Fr	12 Sa	13 So	14 Mo	15 Di	16 Mi	17 Do
Dora	Fina	Kurt	Kurt	Kurt	Dora	Ron	Dora	Kurt	Fina	Maren
Fina	Dora	Dora	Fina	Ron	Thora	Dora	Fina	Ron	Dora	Dora
Ron	Maren	Rania	Dora	Sven	Maren	Sven	Kurt	Thora	Kurt	Fina
Kurt	Sven	Ron	Ron	Dora	Sven	Kurt	Rania	Dora	Ron	Kurt

1 Dora ist _____ da. 4 Pedro ist _____ da. 7 Kurt ist _____ da.

2 Fina ist _____ da. 5 Maren ist _____ da. 8 Thora und Maren sind _____ da.

3 Ron ist _____ da. 6 Thora ist _____ da. 9 Fina und Ron sind _____ da.

b) Kreuzen Sie an.

		A		B		C		D		E		
1	Praktikanten arbeiten	A	nie	B	selten	C	manchmal	D	oft	E	immer	als Betriebsleiter.
2	Betriebswirte arbeiten	A	nie	B	selten	C	manchmal	D	oft	E	immer	als Vertriebsmitarbeiter.
3	Chefinnen arbeiten	A	nie	B	selten	C	manchmal	D	oft	E	immer	als Elektroingenieure.
4	Frauen arbeiten	A	nie	B	selten	C	manchmal	D	oft	E	immer	als Kursleiterinnen.

N Wie begrüßen sich die Leute in Lektion 1?

a) In welchen Übungen sagen die Leute „Guten Tag"?
b) Wo sagen die Leute „Grüß dich"?
c) Wo sagen die Leute „Hallo"?

O Schreiben Sie die Wörter in die Tabelle.

Seite 6: der Tag | die Lehrerin | lernen | der Kurs | wohnen | die Liste | das Land | die Studentin
Seite 7: buchstabieren | der Satz | die Tabelle | schreiben | die Notiz | begrüßen
Seite 8: das Büro | die Konferenz | der Teilnehmer | der Wohnort | die Firma | arbeiten | die Ingenieurin
Seite 9: der Informatiker | das Kind | der Praktikant | der Motor | der Rechner | der PC | die Maschine

der ...	das ...	die ...	Verben
der Tag,	*das Büro,*	*die Lehrerin,*	*lernen,*
_____	_____	_____	_____
_____	_____	_____	_____
_____	_____	_____	_____
_____	_____	_____	_____

Ja, da geht es.

11 ● *Ich habe ein Problem. Hast du eine Stunde Zeit?*   ▲ *Ja, das geht.*
▲ *Ja, aber nicht jetzt.*
▲ *Nein, das geht nicht.*

● *Hast du um drei Uhr eine Stunde Zeit?*   ▲ *Ja, um drei geht es.*
▲ *Nein, da geht es leider nicht.*

---

1   **Hast du eine Stunde Zeit?**

Fragen Sie drei Leute: Hast du um drei Uhr eine Stunde Zeit?

	1	**2**	**3**	

Lisa hat eine Stunde Zeit, aber nicht um drei Uhr.

_____ hat eine Stunde Zeit.

Lisa _____ hat eine Stunde Zeit, aber nicht um drei Uhr.

_____ hat keine Zeit.

2   **Wann hast du Zeit?**

S. 22 A
S. 22 B

Schreiben Sie die Ziffern und die Uhrzeiten in die Tabelle.   Gr. S. 21, 1

	0	null			
Fragen, antworten, berichten	1	eins	um **ein** Uhr	___ sieben	_____
	___	zwei	um zwei Uhr	___ acht	_____
	___	drei	_____	___ neun	_____
	___	vier	_____	___ zehn	_____
● *Donna, wann hast du eine Stunde Zeit?*	___	fünf	_____	___ elf	_____
▲ *Um vier Uhr.*	___	sechs	_____	___ zwölf	_____

Donna Rolands hat um vier Uhr eine Stunde Zeit.

3 Wann geht es?

Hören Sie und schreiben Sie die Namen in die Tabelle.

Rosa Einser | Helmut Zweier | Tim Dreysam | Cornelia Vierkant | Thora Fünfgelt | Detlef Sechskorn

heute	morgen	übermorgen
Vormittag	Vormittag	Vormittag
Nachmittag	Nachmittag	Nachmittag
Abend	Abend	Abend
Rosa Einser		

4 Diktieren Sie die Tabelle einem Partner.

Gr. S. 21, 1

Wer?	Von wann?	Bis wann?	Wie lange?
Carlo	von 8 Uhr	bis 10 Uhr	2 Stunden
Martha	von 12 Uhr	bis 17 Uhr	5 Stunden
Tom	von 10 Uhr	bis 11 Uhr	1 Stunde
Petra	von 9 Uhr	bis 12 Uhr	3 Stunden
Kurt	von 11 Uhr	bis 15 Uhr	4 Stunden

Carlo hat von acht Uhr bis zehn Uhr zwei Stunden Zeit. Martha ...

5 Wann hast du Zeit? Wann genau? Wie lange hast du Zeit?

heute morgen	Vormittag Mittag Nachmittag Abend	um ein Uhr um zwei Uhr ... um zwölf Uhr	eine Stunde zwei Stunden ... zehn Stunden

▲ *Wann hast du Zeit?*
● *Morgen.*
▲ *Wann genau?*
● *Um zehn Uhr.*
▲ *Wie lange hast du Zeit?*
● *Zwei Stunden.*

6 Selten oder häufig?

Fünf-Euro-Münzen | Ein-Personen-Haushalte | Vier-Millionen-Städte | Ein-Zimmer-Wohnungen | Ein-Kind-Familien | der Acht-Stunden-Tag

● *Sind Ein-Kind-Familien in Ghana selten oder häufig?*
■ *In Ghana sind Ein-Kind-Familien selten. Und in Deutschland?*
▲ *In Deutschland sind Ein-Kind-Familien häufig.*

Felix Reimann
— Felirei.Web —

Anschrift: Al. Dom Antonio, 332
Apto 606
80420-060 Curitiba, PR
Brasilien
fon: +55 (41) 8428-3502
Email: mail@felirei-web.de
Internet: www.felirei-web.de

Web-Design • Publishing • Admin • CMS

BUNDESREPUBLIK DEUTSCHLAND FEDERAL REPUBLIC OF GERMANY RÉPUBLIQUE FÉDÉRALE D'ALLEMAGNE
PERSONALAUSWEIS
IDENTITY CARD/CARTE D'IDENTITE
KÄRCHER
MICHAELA
24.08.57 MÜNCHEN
DEUTSCH / 26.04.10
Michaela Kärcher
IDD<< KÄRCHER << MICHAELA <<<<<<<<<<<<<
<<<<<<8

0	null
1	eins
@	at („ätt")
-	minus
.	Punkt

Lucia Buroi
Dipl.-Informatikerin FH

Engelstrasse 21, 8004 Zürich, Schweiz
+41 43 67 333 03

info@buroi.com

Roswitha Wennrich
Schöneberger Allee 11,
12082 Berlin-Eichwalde
Tel. 030 641 87 93

Held, Gerhard Architekt u.   324 60 99
Ingrid Dipl.-Psych. Feldrainweg 12

Norbert Mletzko
GmbH

Sterngasse 49
1070 Wien
Tel. +43 - 1 - 125 24 04
Fax: +43 - 1 - 125 24 03
mletzko@mletzko.at

Mo.–Fr. 10.00–18.00,
Sa. n. Vereinbarung

www.jupar.de
Jürgen Pälzer

dienstlich   069 - 77 25 181
privat   069 - 865 66 370
mobil   0176 - 32 69 21 20
dienstlich   paelzer@jupar.de
privat   mail@juergenpaelzer.de
real   Offenbacher Landstr. 469
60599 Frankfurt

7   Erreichbar?

a) Fragen Sie: „Wie sind Sie erreichbar?". Schreiben Sie die Antworten in die Tabelle.

	Kollege 1	Kollege 2	...
telefonisch/Telefonnummer	_____	_____	
per SMS/Handynummer	_____	_____	
per Fax/Faxnummer	_____	_____	
per E-Mail/E-Mail-Adresse	_____	_____	
privat/Postadresse	_____	_____	

S. 24 H
S. 24 I

b) Berichten Sie: Wie sind die Kollegen 1, 2, ... erreichbar?

8   Wie und wann sind die Leute erreichbar?

a) Wie sind Jürgen Pälzer, Michaela Kärcher, Felix Reimann, Lucia Buroi, Norbert Mletzko, Gerhard Held und Roswitha Wennrich dienstlich und/oder privat erreichbar?

19-25   **b)** Hören Sie. Wer ist wann erreichbar?

Dialog 1   Ingrid Held, am Nachmittag   Dialog 5 _____

Dialog 2 _____   Dialog 6 _____

Dialog 3 _____   Dialog 7 _____

Dialog 4 _____

9 Was ist das? Was genau?

S. 24 J

der/ein Name	die/– Namen
der/ein Beruf	die/– Berufe
das/ein Foto	die/– Fotos
die/eine Adresse	die/– Adressen
die/eine E-Mail-Adresse	die/– E-Mail-Adressen
die/eine Internet-Adresse	die/– Internet-Adressen
die/eine Postleitzahl	die/– Postleitzahlen
die/eine Telefonnummer	die/– Telefonnummern
die/eine Hausnummer	die/– Hausnummern
die/eine Fax-Nummer	die/– Fax-Nummern
der/ein Wohnort	die/– Wohnorte

Gr. S.21, 2

1 1070 *Das ist eine Postleitzahl. Das ist die Postleitzahl von Wien.*

2 Al. Dom Antonio, 332 Apto 606 _____

3 info@buroi.com
   mail@felirei-web.de _____

4 0041-43 67 333 03 _____

5   _____

6 1070, 12082, 60599 *Das sind Postleitzahlen.*

7 Dipl.-Psych., Informatikerin _____

8 Gerhard _____

9 030 641 87 93, 0176-32 69 21 20 _____

10 www.jupar.de _____

11   _____

12 Held _____

13 0043-1-12 524 03 _____

10 Wann haben Sie Zeit? Wann genau?

a) Schreiben Sie in den Kalender:

Konferenz | Sprachkurs |
Kunden begrüßen | Dienstreise |
Geschäftsessen | Kino | ...

b) Fragen Sie.

■ *Wann haben Sie zwei Stunden Zeit?*
● *Übermorgen geht es.*
■ *Und wann genau?*
● *Übermorgen Abend. Ja, übermorgen Abend um 8 Uhr. Da habe ich Zeit.*

	heute	morgen	übermorgen
8–12	_____	_____	*Kunden*
	_____	_____	_____
12–6	_____	_____	_____
	_____	_____	_____
6–10	_____	*Kino*	_____
	_____	_____	_____

S. 25 K

c) Wann sind Sie telefonisch/persönlich erreichbar?

11   Gibt es das?

Der 1-Euro-Shop

Alle Artikel ab einem Euro.

Suchen: Last-Minute-Auktionen,
neueste Auktionen, alphabetisch, meiste
Gebote, wenigste Gebote.
www.tagesspiegel.onetwosold.de

F

J

C

Die 40-Stunden-Woche
Von je 100 Arbeitnehmern hatten eine tarifvertragliche regelmäßige Wochenarbeitszeit
von 40 Stunden oder mehr

1963   1987   1991   1995   1999   2003

100   Ost-deutschland   100

West-deutschland

50   64   48   45

9   3   3   2

Quelle: BMWA   © Globus

Auto NEWS

Volkswagen: Passat ab sofort
auch mit Vierradantrieb!

H

Passat nun auch mit Vierradantrieb unterwegs.
Permanenter Allradantrieb 4Motion zunächst für zwei
Motorisierungen zu haben.   www.auto-news.de

D   Null-Fehler-Strategie: *Das Ziel ist „keine Fehler".*

A

© LÖWENBRÄU präsentiert
44. Münchner 6 | Tage | Rennen
Olympiahalle München | 8.-13. November 2007

B   1-Euro-Job

Ein Mann für alles.

E

10-Minuten-Takt

G   8-Stunden-Tag

---

12   Was passt zu ...?   Gr. S. 21, 3

S. 25 L
S. 25 M

| Welcher Text
Welches Foto
Welche Grafik | passt zu | a   Vierradantrieb
b   6-Tage-Rennen
c   1-Euro-Job
d   1-Euro-Shop
e   10-Minuten-Takt | und | 1   Sport
2   Automobiltechnik
3   Arbeit
4   Verkauf | a 2 H
———
———
———
——— |
| Welche Texte
Welche Fotos
Welche Grafiken | passen zu | f   Einmannbetrieb
g   40-Stunden-Woche
h   Null-Fehler-Strategie
i   8-Stunden-Tag | | 5   Verkehr
6   Wirtschaft | ———
——— |

13   „Und" oder „oder"?

Hören Sie und spielen Sie den Dialog zu Ende.

1 Ziffern, Zahlen, Uhrzeit

Ziffern	Zahlen	Uhrzeit	Zeitangabe	
0	null	null Uhr	Es ist null Uhr.	um null Uhr
1	eins	ein Uhr	Es ist ein Uhr.	um ein Uhr
2	zwei	zwei Uhr	Es ist zwei Uhr.	um zwei Uhr
…	…	…	…	
9	neun	neun Uhr	Es ist neun Uhr.	um neun Uhr
10	zehn	zehn Uhr	Es ist zehn Uhr.	um zehn Uhr
11	elf	elf Uhr	Es ist elf Uhr.	um elf Uhr
12	zwölf	zwölf Uhr	Es ist zwölf Uhr.	um zwölf Uhr

2 Der Artikel im Nominativ

	Singular		Plural		Beispiele:
	bestimmt	unbestimmt	bestimmt	unbestimmt	
Maskulin	der	ein			der Tag, ein Tag; die Tage, Tage
Neutrum	das	ein	die	–	das Kind, ein Kind; die Kinder, Kinder
Feminin	die	eine			die Stadt, eine Stadt; die Städte, Städte

3 *Welche_*

ein	welcher	der	● Ein Kunde hat Zeit.	▲ Welcher Kunde?	● Der Kunde von Fa. Doll.
ein	welches	das	● Ein Foto ist prima.	▲ Welches Foto?	● Das Foto von Herrn Spira.
eine	welche	die	● Eine Liste ist falsch.	▲ Welche Liste?	● Die Teilnehmerliste.

			● Zwei Kunden haben Zeit.		Kunden?		Der und der.
–	welche	die	● Zwei Fotos sind prima.	▲ Welche	Fotos?	● Die zwei.	Das und das.
			● Zwei Listen sind falsch.		Listen?		Die und die.

4 *haben* und *sein*

ich	habe	bin			
du	hast	bist	sie/Sie	haben	sind
er/sie	hat	ist			

Wann?

heute – morgen – übermorgen
um 7 Uhr – heute Abend –
jetzt – nie

Wie lange?

eine Stunde – zwei Tage
von 7 bis 9 Uhr – von heute
bis übermorgen Abend

Die Tageszeiten

heute	Vormittag
morgen	Mittag
übermorgen	Nachmittag
	Abend

Zahl + Nomen + Nomen

Zahl-Nomen-Nomen	Zahlwort-Nomen-Nomen	Zahlwortnomennomen
häufig (≈70%)	nicht so häufig (≈25%)	selten (≈5%)
6-Tage-Rennen	Sechs-Tage-Rennen	Sechstagerennen
5-Uhr-Tee	Fünf-Uhr-Tee	Fünfuhrtee
1-Euro-Job	Ein-Euro-Job	–
8-Stunden-Tag	Acht-Stunden-Tag	Achtstundentag
1-Mann-Betrieb	Ein-Mann-Betrieb	Einmannbetrieb

Das geht (nicht).

● Haben Sie eine Stunde Zeit?
▲ Ja, das geht.
  Nein, das geht (leider) nicht.

Da geht es (nicht).

● Hast du um 8.00 Uhr Zeit?
▲ Ja, da geht es.
  Nein, da geht es (leider)
  nicht.

A   **Hören Sie und markieren Sie die Telefonnummern:**

AB 4

a)
1	2	3
4	5	6
7	8	9
	0	

b)
1	2	3
4	5	6
7	8	9
	0	

c)
1	2	3
4	5	6
7	8	9
	0	

d)
1	2	3
4	5	6
7	8	9
	0	

e)
1	2	3
4	5	6
7	8	9
	0	

f)
1	2	3
4	5	6
7	8	9
	0	

g)
1	2	3
4	5	6
7	8	9
	0	

h)
1	2	3
4	5	6
7	8	9
	0	

B   **Die Zahlen von 0 bis 12**

a)

```
        D
        R
        E
  S I E B E N
```

b)

```
                N
                U
                L   D R E I
                L
          V I E R
```

C   **Wann?**

a) Wann haben die Leute eine Stunde Zeit?

Bei Rosa Einser geht es heute nicht. Aber morgen und übermorgen Vormittag hat sie Zeit. Helmut Zweier hat heute und morgen Zeit, aber nicht heute Abend und auch nicht übermorgen. Bei Dietrich Dreysam geht es von zehn bis zwölf und von zwei bis vier Uhr. Cornelia Vierkant hat morgen Zeit, aber heute und übermorgen nicht. Bei Thora Fünfgelt geht es heute und morgen Vormittag von neun bis elf Uhr. Detlef Sechskorn hat morgen und übermorgen Zeit.

b) Schreiben Sie einen Text wie in a).

Karoly hat heute von zwölf bis
zwei Uhr und morgen und
übermorgen Nachmittag Zeit.
Bei Anita geht es

	Karoly	Anita	Hans	Gesine
heute	12–2	Vorm.	–	Vorm.
morgen	Nachm.	–	2–5	Nachm.
übermorgen	Nachm.	–	1–5	3–6

_____

_____

_____

_____

D Wer arbeitet wie lange von wann bis wann?

	wer?	wann?	wie lange?	von wann bis wann?
a)	Gerhard Held	heute	7 Std.	8–12, 2–5 Uhr

Gerhard Held arbeitet heute sieben Stunden von acht bis zwölf und von zwei Uhr bis fünf Uhr.

	wer?	wann?	wie lange?	von wann bis wann?
b)	Michaela Kärcher	heute	8 Std.	8–1, 3–6 Uhr

Michaela Kärcher

	wer?	wann?	wie lange?	von wann bis wann?
c)	Felix Reimann	übermorgen	3 Std.	2–5 Uhr
d)	Lucia Buroi	morgen	4 Std.	6–10 Uhr
e)	Roswitha Wennrich	heute	5 Std.	1–6 Uhr
f)	Jürgen Pälzer	übermorgen	6 Std.	8–11, 3–6 Uhr

E Die Lehrerin, die Kursteilnehmer und ich

a) Schreiben Sie.

Die Lehrerin hat heute Nachmittag zwei Stunden Zeit.

Zwei Kursteilnehmer ...   *Zwei Kursteilnehmer haben heute Nachmittag zwei Stunden Zeit.*

... drei Stunden   *Zwei Kursteilnehmer haben heute Nachmittag drei Stunden Zeit.*

Ich ...   *Ich*

... morgen keine Zeit

Die Lehrerin ...

Die Kursteilnehmer ...

AB 5

b) Hören und sprechen.

▲ *morgen Nachmittag*
● *Theo hat morgen Nachmittag drei Stunden Zeit.*
▲ *heute Abend*
● *Theo hat heute Abend drei Stunden Zeit.*

F Sprechen Sie laut und langsam.

ee	uu	→	z**ee**hn **U**hr	→	im **Zeh**n-Min**u**ten-T**a**kt
ii	aa	→	s**ie**ben T**a**ge	→	h**ie**r und d**a**
ii	oo	→	v**ie**r Milli**o**nen	→	s**ie**ben Dial**o**ge
ee	oo	→	z**e**hn Pers**o**nen	→	Peter w**o**hnt in Bonn.
ii	aa	→	v**ie**r **A**bende	→	W**ie** ist der N**a**me?
üü	oo	→	B**ü**ro	→	Das ist f**ü**r die W**o**hnung.

G Was geht? Schreiben Sie zehn Wörter.

Ein	1			
Zwei	2	-Stunden-	Münze (die)	*der Sechs-Personen-Haushalt*
Drei	3	-Kind-	Familie (die)	
Vier	4	-Millionen-	Tee (der)	
Fünf	5	-Tage-	Stadt (die)	
Sechs	6	-Personen-	Wohnung (die)	
Sieben	7	-Euro-	Haushalt (der)	
Acht	8	-Uhr-	Tag (der)	
Neun	9	-Zimmer-	Kurs (der)	
Zehn	10			

AB 6-12 **H** **Hören Sie. Wann sind die Leute erreichbar?**

		Jürgen Pälzer	Michaela Kärcher	Felix Reimann	Lucia Buroi	Norbert Mletzko	Gerhard Held	Roswitha Wennrich
heute	Vormittag							
	Nachmittag							
	Abend							
morgen	Vormittag							
	Nachmittag							
	Abend	✗						
übermorgen	Vormittag							
	Nachmittag							
	Abend							

I **Schreiben Sie die Wörter an die richtige Stelle.**

Telefonnummer | E-Mail-Adresse | Vorname | Foto | Beruf | Hausnummer | Internetadresse | Wohnort | Postleitzahl | Faxnummer | ~~Familienname~~ | Postadresse

der Familienname

der _____

die _____

die _____

die _____

die _____

der _____

das _____

die _____

die _____

die _____

Christian Gieseke
Diplom-Ingenieur (FH)

Lübkeweg 39
20552 Hamburg
Christian@Gieseke.de
www.gieseke.de

Telefon +49 40 55 421 062
Fax +49 721 283 151 348

J **Schreiben Sie in die Lücken:** der | das | die | ein | eine | –

a) ___Das___ Foto ist von _____ Michaela Kärcher. Von _____ Jürgen Pälzer ist auch _____

Foto da, aber wo? Michaela ist _____ Bürokauffrau von _____ Beruf. Übermorgen hat sie

_____ Konferenz von acht bis zwölf Uhr. _____ Konferenz ist in Köln. Michaela hat _____

Teilnehmerliste und _____ Programm. _____ Teilnehmer kommen aus Köln, Hamburg und

Berlin.

b) ● 85737, ist das _____ Telefonnummer?

   ▲ Nein, das ist _____ Postleitzahl, _____ Postleitzahl von Ismaning.

   ● Jaja, es ist aber auch _____ Telefonnummer, _____ Telefonnummer von Theo Baum.

   ▲ Wer ist Theo Baum? Ist das _____ Kunde?

   ● Theodor Baum, das ist _____ Chef!!

K Nie Zeit für Frau Gutzeit

Hören Sie und schreiben Sie die Wörter in die Lücken: heute | morgen | übermorgen | nie | immer

- ● Frau Gutzeit sagt, _immer_ hast du _____ Zeit.
- ▲ Das ist nicht richtig. Ich habe nicht _____ _____ Zeit.

  Ich habe nicht _____ Zeit.
- ● Und _heute_ ?
- ▲ _____ geht es nicht.
- ● Hast du für Frau Gutzeit _____ Zeit?
- ▲ Das sage ich Frau Gutzeit _morgen_ .
- ● Ja, aber _____ ist dein _morgen_ _____ . Und du sagst, _____ geht es nicht.
- ▲ Richtig.
- ● Geht es _____ ?
- ▲ Ich telefoniere _übermorgen_ mit Frau Gutzeit.
- ● Aber _____ ist _____ auch _____ !!

L Schreiben Sie 7 Wörter und ihre Artikel.

	SINGULAR		PLURAL	
	bestimmter Artikel	unbestimmter Artikel	bestimmter Artikel	unbestimmter Artikel

~~Beruf~~ | Tabelle | Stunde | Name | Liste | Beispiel | Rechner | Kollege | Stadt | Vormittag | Wohnung | Foto | Kollegin | Zimmer | Land | Kind | Adresse | Text | Konferenz | Teilnehmerin | Telefonnummer | Dienstreise | Kunde | Lehrerin | Sprachkurs | Betrieb | Tag | Postleitzahl

der Beruf	_ein Beruf_	_die Berufe_	_Berufe_

M Sie haben die Antworten. Schreiben Sie die Fragen mit „Welche_".

- ● _Welcher Termin ist richtig?_ ▲ Morgen um neun Uhr ist der richtige Termin.
- ● _____ ▲ Nummer 5 und 6 sind die richtigen Büros.
- ● _____ ▲ Müller ist der richtige Name.
- ● _____ ▲ Rosengasse 12 ist die richtige Adresse.
- ● _____ ▲ Bogotá und Cali sind die richtigen Städte.
- ● _____ ▲ 8004 und 6006 sind die richtigen Postleitzahlen.
- ● _____ ▲ Das Fax von der Firma Tooms ist das richtige Fax.
- ● _____ ▲ mail@felirei-web.de ist die richtige E-Mail-Adresse.

Also von 10.30 Uhr bis 12.00 Uhr!

Donnerstag, 12.06.

Exkursion

Schloss
Hohenschwanstein
Abfahrt 9.00 Uhr
Preis: 12,- €

● Wann haben wir Mediothek?
● Haben wir am Dienstag einen Test?
● Wie oft haben wir PC-Übungen?
● Wie lange dauert die Kaffeepause?

■ Dienstags und mittwochs.
■ Nein, am Freitag, nicht am Dienstag.
■ Zweimal pro Woche.
■ ...

am Montag
am Dienstag
am _____
am _____
am _____

am Morgen
am Vormittag
am _____

	Montag	Dienstag	Mittwoch	Donnerstag	Freitag
8.30	Unterricht	Unterricht	Sprechtraining	Unterricht	Unterricht
10.00	*Kaffeepause*				
10.30	Sprechtraining	Unterricht	Unterricht	Unterricht	Unterricht *Test*
12.00	*Mittagspause*				
13.45	Landeskunde	Mediothek	PC-Übungen	Sprechtraining	frei
15.15	PC-Übungen	Video	Mediothek	Video	frei
			20.00 Disco		

Wir haben ...

montags
dienstags
mittwochs   ... Stunden ...
donnerstags   ... Minuten ...
freitag___
samstag___
sonntag___

einmal
zweimal   pro Tag
drei_____   pro Woche

1   Stundenplan

S. 32 A
S. 32 B

a) Partnerarbeit: Sprechen Sie über den Stundenplan.

b) Richtig R oder falsch F ?   R   F

1   Morgens beginnt der Unterricht um 8.30 Uhr.
2   Wir haben dreimal pro Woche Sprechtraining.
3   Mediothek haben wir vormittags.
4   Am Mittwoch machen wir eine Exkursion.
5   Freitags ist immer Test.
6   Der Test ist am Freitag um 10.30 Uhr.
7   Am nächsten Donnerstag ist kein Unterricht.
8   Eine Unterrichtsstunde hat 60 Minuten.
9   Die Kaffeepause dauert 30 Minuten.
10 Wir haben pro Woche 16 Stunden Unterricht.

Morgens beginnt der Unterricht um 8.30 Uhr. Das ist richtig.
Mediothek haben wir nicht vormittags. Das ist falsch.
Mediothek haben wir ...

Uhrzeiten

🕗 acht Uhr

🕗 acht Uhr dreißig

🕙 zehn Uhr

🕥 zehn Uhr dreißig

🕛 zwölf Uhr

🕜 dreizehn Uhr fünfundvierzig

🕒 fünfzehn Uhr fünfzehn

2 Die Zahlen von 10–99

10–19	20, 30, ... 90	21–99
zehn		
elf		einundzwanzig
zwölf	zwanzig	zweiundzwanzig
dreizehn	dreißig	dreiundzwanzig
vierzehn	vierzig	vierund...
fünfzehn	fünfzig	...
sechzehn	sechzig	sechsundfünfzig
siebzehn	siebzig	siebenundfünfzig
achtzehn	achtzig	...
neunzehn	neunzig	neunundneunzig

S. 32 C
S. 32 D

So schreibt man, so sagt man.

Wir schreiben sechs – vier, wir sagen ...

Zahl	Wir schreiben	Wir sagen:
10	*eins-null*	*zehn*
12		*zwölf*
13	*eins-drei*	*drei...*
18		
24		*vier und zwanzig*
54		
98		

Gr. S. 31, 2

3 Anmeldung zum Computerkurs

S. 33 E

a) Hören Sie und beantworten Sie die Fragen.

1 Wer telefoniert?
2 Wann ist der Unterricht (Tag und Uhrzeit)?
3 Sind noch Plätze frei?
4 Bucht der Anrufer?

b) Hören Sie noch einmal und füllen Sie den Notizzettel aus.

Kurs „Windows XP Grundlagen"

Kursnummer: _____

Teilnehmer maximal: __24__

Anmeldungen bis heute: _____

freie Plätze: _____

Tage: _____ Zeit: _____

Stundenzahl: _____

Kursgebühr: € _____

4 Ich wohne in ... Du wohnst in ... Wir wohnen auch in ...

S. 33 F

Schreiben Sie wie im Beispiel.

- in Köln wohnen
- aus Frankreich kommen
- heute telefonieren
- Ingenieur von Beruf sein

Ich wohne in Köln. Er wohnt auch in Köln. Klaus und Eva wohnen auch in Köln. Wohnst du auch in Köln?
Und Sie, Herr Zöllner, Sie wohnen auch in Köln. Wir wohnen also alle in Köln.

Gr. S. 31,1

5 Interviews: Ihr Kurs – Ihr Arbeitsplatz

S. 33 G
S. 33 H
S. 33 I

Wie viele Unterrichtsstunden hat der Kurs?
Wann beginnt der Kurs?
Wie viele Teilnehmer und Teilnehmerinnen hat der Kurs?
Wann ist die Kaffeepause?
Wie viele Minuten dauert die Pause?
Wie viel kostet der Kurs?
Wie oft hast du Unterricht?
...

Stundenzahl: _____

Kursbeginn: _____

Teilnehmer: _____

Kaffeepause: _____

Gr. S. 31,3

Arbeitsstunden/Woche: _____

Arbeitsbeginn: _____

Mitarbeiter: _____

Mittagspause: _____

Wie viele Stunden arbeitest du pro Woche?
Wann beginnt die Arbeit?
Wie viele Mitarbeiter hat die Firma?
Wann ist die Mittagspause?
Wie viele Minuten hast du Mittagspause?
...

Berichten Sie.

30
- ■ Was machen Sie heute um 9.00 Uhr?
- ● Da habe ich die Wochenbesprechung.
- ▲ Was machst du morgen um 9.00 Uhr?
- ● Da bin ich in Bad Vilbel.

31
- ■ Haben Sie um 9.00 Uhr Zeit?
- ● Nein, da habe ich die Wochenbesprechung.
- ■ Und um 15.00 Uhr?
- ● Ja, da habe ich Zeit.

32
- ■ Wann beginnt die Wochenbesprechung am Montag? Wie lange dauert sie? Wann ist Feierabend? Was machen Sie da?

6 **Termine Kalenderwoche 22**

Partnerarbeit: Sprechen Sie über die Termine am Montag und Dienstag.

7 **Wochenbesprechung am Montag**

S. 34 J

a) Was glauben Sie: Wer ist für die Tagesordnungspunkte 1–6 zuständig?

b) Steht das in der Tagesordnung?   Ja   Nein

1 Die Besprechung dauert 2 Stunden.
2 TOP 1 dauert nicht lange.
3 TOP 4 dauert bis 9.40 Uhr.
4 Sechs Mitarbeiter sind anwesend.
5 Ein Besucher ist auch da.
6 Die Besprechung ist am Vormittag.
7 Im Juni ist eine Exkursion.
8 Die Besprechung ist um 12.00 Uhr zu Ende.

Tagesordnung
Montag, 12.06., 9.00 – 11.00 Uhr

Teilnehmer: Herr Zöllner, Herr Engelmann (Vertrieb), Frau Gühring (Personalabteilung), Frau Huang, Frau Hübner (Betriebsrat), Herr Unterberg (EDV)

TOP 1	9.00	Begrüßung Frau Huang (Praktikantin)
TOP 2	9.05	Bestellung Prospekt
TOP 3	9.20	Hardware-Probleme im Vertrieb
TOP 4	9.40	Update Software Kundenservice
TOP 5	10.00	Vorbereitung Jahreskonferenz
TOP 6	10.30	Betriebsausflug im Juli
TOP 7	10.45	Verschiedenes

S. 34 K **c)** Partnerarbeit: Sprechen Sie über die Tagesordnung.

● *Wann beginnt Tagesordnungspunkt 1 „Begrüßung Frau Huang"? Wann endet Tagesordnungspunkt 1? Wie lange dauert ...?*

▲ *TOP 1 beginnt um 9.00 Uhr. Er endet um 9.05 Uhr / ist um 9.05 Uhr zu Ende. TOP 1 dauert von 9.00 Uhr bis 9.05 Uhr. TOP 1 dauert fünf Minuten.*

8 **Herr Zöllner begrüßt die Teilnehmer.**

a) Hören und ergänzen Sie. Zuständig für

TOP 1 ist _Frau Gühring_

TOP 2 ist _____

TOP 3 ist _____

TOP 4 ist _____

TOP 5 ist _____

TOP 6 ist _____

b) Was ist richtig? Kreuzen Sie an.

TOP 2   dauert 20–25 Minuten.

TOP 2   dauert von 9.05 Uhr bis 9.20 Uhr.

TOP 7   dauert 15 Minuten.

Für TOP 7   gibt es kein Thema.

S. 34 L **c)** Herr _____ ist noch nicht da. Er kommt um _____.

9 **Was bedeutet *da*: Anwesenheit ⌐ oder Zeitpunkt ∠ ?**

S. 35 M
S. 35 N

An:	Zöllner
Kopie:	Engelmann
Betreff:	AW: Termin

Lieber Herr Engelmann,
morgen um 10.00 Uhr bin ich nicht da ⌐. Da   habe ich ein Gespräch bei Frau Köhler. Ich bin um 11.00 Uhr wieder da . Aber mein Kollege Martinelli ist um 10.15 Uhr da . Da   hat er Zeit für Sie. Da   kommt auch Herr Dr. Zinser. Vielleicht diskutieren Sie das Problem zusammen. Aber um 11.00 Uhr bin ich ja auch wieder da . Vielleicht sind Sie da   auch noch da .

10 **Der Praktikant plant die Vertriebskonferenz.**

a) Diskutieren Sie:
Ist die Planung so in Ordnung?
● Was ist gut?
● Was ist schlecht?

b) Arbeitsgruppen:
Machen Sie eine neue Planung.
● Disco – ja oder nein?
● Konferenzbeginn – wann?
● TOP „Planung Verkaufszahlen" – wann?
● Mittagspause – wie lange?
● ...

S. 35 O **c)** Tragen Sie die neue Planung vor.

Sonntag
bis 19.00   Anreise
20.00 - 22.00   Abendessen
23.00 - ...??   Disco im „*Inferno*"

Montag
09.30 - 10.00   Begrüßung
10.00 - 10.30   Berichte
10.30 - 11.00   Kaffeepause
11.00 - 12.00   Diskussion
12.00 - 14.30   Mittagessen/Spaziergang
14.30 - 15.00   Präsentationsvideo
15.00 - 16.00   Kaffee und Kuchen
16.00 - 17.15   Planung Verkaufszahlen
18.30   Abschied, Abreise

11   Wann? Wie lange?

S. 35 P

Sehr geehrte Kunden,

wir sind täglich bis 20.00 Uhr für Sie da, samstags bis 18.00 Uhr. Frische Brötchen sonntags 8.00–10.00 Uhr

Ihr Frischemarkt-Team

Mo - Fr
8 - 18 h

Dr. Peter Wirth
Zahnarzt

Sprechstunden: 8.30–12.00 u. 14.30–16.30
außer Donnerstagnachmittags und Samstag

- Wann beginnt ...?
- Wann ist ... zu Ende?
- Wie lange dauert ...?
- Wann öffnet ...?
- Wann schließt ...?
- Von wann bis wann ist ... geöffnet?

AFTER-WORK-PARTY IM

SAUSALITO

Mo bis Do 17.00 bis 1.00
Fr und Sa 17.00 bis **OPEN END**

EINTRITT € 5,-
Caipirinha, Longdrinks, Cocktails
Pasta-Gerichte zum
sensationellen Preis: **€ 4,50**

LEIPZIG, CITY-RING 12
TEL.: 0341/8137958
FAX: 0341/8137960   **www.sausalito.de**

Vergleichen Sie Öffnungszeiten
- in Deutschland, in Österreich und in der Schweiz.
- in Ihrem Heimatland.

Sparkasse
Neustadt-Dorfen

Öffnungszeiten
Montag bis Freitag
8.30 bis 12.30 und 13.45 bis 17.30 Uhr
SB-Center durchgehend zugänglich

Unsere Geschäftszeiten:
Mo–Fr 9.00–12.30, 14.00–18.30
samstags geschlossen
In Notfällen: Tel. 0651-3129860; Mobil: 0173-5568992

Schlüsseldienst BLITZ

Rund-um-die-Uhr-24-Stunden-Service

Anruf genügt
0800-553 355 1
      Anruf genügt

12   Schwierige Terminsuche

Hören Sie.

a) Finden der Herr und die Dame einen Termin?

b) Was ist Terminvorschlag 1, 2, 3, ...

- ☐ am Donnerstag
- ☐ am Montag
- ☐ am nächsten Wochenende
- ☐ am Samstag zwischen 11.45 Uhr und 12.00 Uhr
- ☑ morgen

1 Verb: Konjugation

	beginnen	enden	dauern	arbeiten	heißen	haben	sein
ich	beginne			arbeite	heiße	habe	**bin**
du	beginnst			arbeit**est**	heiß**t**	**hast**	**bist**
er/es/sie	beginnt	end**et**	dauert	arbeit**et**	heißt	**hat**	**ist**
wir	beginnen			arbeiten	heißen	haben	**sind**
sie/Sie	beginnen	enden	dauern	arbeiten	heißen	haben	**sind**

2 Die zweistelligen Zahlen

10	eins - null	zehn		21	zwei - eins	einundzwanzig		20	zwanzig
11	eins - eins	elf		31	drei - eins	einunddreißig		30	dreißig
12	eins - zwei	zwölf		41	vier - eins	einundvierzig		40	vierzig
13	eins - drei	dreizehn		...	zwei - zwei	zweiundzwanzig		50	fünfzig
...	...	...			zwei - drei	dreiundzwanzig		60	se**ch**zig
16	eins - sechs	se**ch**zehn			drei - sechs	sechsunddreißig		70	sie**bz**ig
17	eins - sieben	sie**bz**ehn			vier - sieben	siebenundvierzig		80	achtzig
18	eins - acht	achtzehn		...		...		90	neunzig
...	...	...						99	neunundneunzig

3 Wie viel? (Singular)

€ 81,50   einundachtzig Euro fünfzig
€ 0,45   fünfundvierzig Cent
          drei Stunden (Zeit)

Wie viele? (Plural)

zwölf Teilnehmer, elf Teilnehmerinnen,
drei Tage, zwei Praktikanten, acht Kunden

Wichtige Wörter und Wendungen

Wann?

 um 13.00 Uhr
um dreizehn Uhr

 um 13.10 Uhr
um dreizehn Uhr zehn

 um 13.15 Uhr
um dreizehn Uhr fünfzehn

 um 13.45 Uhr
um dreizehn Uhr fünfundvierzig

 um 13.59 Uhr
um dreizehn Uhr neunundfünfzig

 um 14.00 Uhr
um vierzehn Uhr

„einmal"

am	Montag	am	Morgen	morgen
	Dienstag		Vormittag	nächste Woche
	Mittwoch		Mittag	
	Donnerstag		Nachmittag	
	Freitag		Abend	
	Samstag		Wochenende	
	Sonntag			

„immer"

montags	morgens
dienstags	vormittags
mittwochs	mittags
donnerstags	...s
...s	...
...	

Wie oft?

einmal	pro Stunde
zweimal	pro Tag
dreimal	pro Woche
...	...

Wie lange?

zehn Minuten	zwei, drei, vierundzwanzig ... Stunden
eine Stunde	drei, fünf, vierzehn ... Tage
eine Woche	vier, acht ... Wochen
---	

da

Zeitpunkt: Am **Montag** habe ich einen Termin. **Da** geht es nicht.
Anwesenheit: Herr Zöllner und Frau Gühring sind um 9.00 **da**. Herr Unterberg ist nicht **da**.

A **Stundenplan Seite 26: Schreiben Sie.**

Unterricht: _montags, dienstags, donnerstags und freitags 8.30–10.00 Uhr, dienstags_

Kaffeepause: _____

Sprechtraining: _montags 10.30 Uhr_ _____ _und_ _____

Test: _am Freitag von_ _____

Mediothek: _____

Exkursion: _____

Video: _____

frei: _____

Disco: _____

April
1 2 3 4
7 8 9 10 11
14 15 16 17 18
21 22 23 24
28 29 30

B **Uhrzeiten**

acht Uhr fünfzehn

vierzehn Uhr dreißig

C **Schreiben Sie Zahlen zwischen zehn und neunundneunzig.**

~~siebenundzwanzig~~ | neunundzwanzig | fünfundachtzig | zweiundneunzig | neunzig |
vierunddreißig | zweiundvierzig | dreiundfünfzig | achtundfünfzig | sechzehn |
sechsundsechzig | sechsundvierzig | zweiundsechzig | fünfunddreißig | zweiundsiebzig

16 _____   42 _____   66 _____

27 _siebenundzwanzig_   46 _____   72 _____

29 _____   53 _____   85 _____

34 _____   58 _____   90 _____

35 _____   62 _____   92 _____

AB 14 **D** **Aussprache**

a) Was hören Sie?
Kreuzen Sie an.

1	☐ siebzehn	☒ siebzig	5	☐ dreißig	☐ dreizehn
2	☐ fünfzig	☐ fünfzehn	6	☐ sechzehn	☐ sechzig
3	☐ neunzehn	☐ neunzig	7	☐ achtzig	☐ achtzehn
4	☐ vierzig	☐ vierzehn	8	☐ zwölf	☐ elf

AB 15 **b)** Sprechen Sie nach.

E   Kursanmeldung

Schreiben Sie die Wörter in die Lücken 1–8.

A   Anmeldungen
B   Kursgebühr
C   Kursnummer
D   ~~Plätze~~

E   Stundenzahl
F   Tage
G   Teilnehmer
H   Uhrzeit

1 _____ : 42 18–12
2 _____ : maximal 18
3 _____ bis heute : 14
4 Freie *Plätze* _____ : 4
5 _____ : 3 (Mo, Mi, Fr)
6 _____ : 9 à 45 Min.
7 _____ : 18.30 – 20.45 Uhr
8 _____ : 90,- Euro

F   Schreiben Sie die Verben in die Lücken.

a) beginnen:

„Ich *beginne* _____ am Morgen um 8.00 Uhr.

Carlos _____ um 8.15 Uhr. Wann _____ du?" – „Ich _____

um 9.00 Uhr. Edith _____ auch um 9.00 Uhr. Aber morgen _____

wir um 8.30 Uhr." – „Und Sie, Herr Valtino, wann _____ Sie?"

b) haben:

„Um 10.00 Uhr *habe* _____ ich Zeit. Herr Costa _____ um 8.00 Uhr Zeit. Wann _____

Sie Zeit?" – „Wir _____ um 9.00 Uhr eine Stunde Zeit." – „Edith, _____

du auch eine Stunde Zeit?" – „Ja, ich _____ eine Stunde Zeit. Aber _____

Christian und Elisabeth auch Zeit?"

c) arbeiten:

„Die Mitarbeiter im Vertrieb *arbeiten* _____ auch am Wochenende. Im Marketing _____

wir nur fünf Tage pro Woche. Aber Herr Martins _____ auch am Wochenende." –

„_____ du auch am Samstag?" – „Nein, am Samstag _____ ich nicht."

G   Hören und sprechen: Wann, wie lange, wie viele?

▲ *Wie lange dauert der Kurs?*   ● ~~2 Wochen~~   ● 12   ● 20   ● 15 Euro
● *Zwei Wochen.*   ● 19   ● Montag   ● 4

H   Tage, Stunden, Minuten ...

acht Stunden pro Tag | fünf Tage | eine Unterrichtsstunde | ~~sechzig Minuten~~ | sieben Tage |
vierundzwanzig Stunden | Wochenarbeitszeit

a) eine Stunde   = *sechzig Minuten* _____   e) Arbeitszeit: = _____

b) 45 Minuten   = _____   f) 40 Stunden   = _____

c) ein Tag   = _____   g) Arbeitswoche   = _____

d) eine Woche   = _____

I   Die Arbeitszeit

Schreiben Sie den Text neu.
Benutzen Sie die Angaben:

acht Stunden pro Tag |
zwölf Kollegen: sieben und fünf |
7.00 Uhr | 30 Minuten | Wochenende

Wir arbeiten 40 Stunden pro Woche. Ich habe vier Kollegen: zwei Kolleginnen und zwei Kollegen. Der Arbeitstag beginnt um 8.30 Uhr. Um 12.30 Uhr haben wir eine Stunde Mittagspause. Am Samstag haben wir frei.

J **Tagesordnung – Fragen und Antworten** (Informationen auf S. 28, Nr. 7)

1   Wie viele Teilnehmer hat die Besprechung?   *Die Besprechung hat sechs Teilnehmer.*

2   Wie lange dauert die Besprechung?   _____

3   Was besprechen die Teilnehmer um 9.20 Uhr?   _____

4   Wann beginnt die Besprechung?   _____

5   *Wer* _____ *?*   Herr Engelmann arbeitet im Vertrieb.

6   _____   Tagesordnungspunkt 1 dauert fünf Minuten.

7   _____   Es gibt sieben Tagesordnungspunkte.

8   _____   TOP 5 ist um 10.30 Uhr zu Ende.

K **Die Konferenz**

Schreiben Sie Sätze wie in den Beispielen.

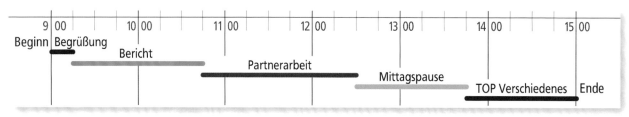

Die Konferenz beginnt um _____ *. Die Begrüßung dauert von neun Uhr bis neun Uhr fünfzehn.*

Der Bericht _____ *von* _____ *bis* _____

_____

_____

Die Konferenz ist um _____ *zu Ende.*

L **Beginn, Ende, Dauer**

a) Schreiben Sie die Angaben.

1   Konferenz: 9.30 – 15.30

   Beginn: *um neun Uhr dreißig*

   Ende: *um fünfzehn Uhr dreißig*

   Dauer: *von neun Uhr dreißig bis fünfzehn Uhr dreißig*   =   *sechs Stunden*

2   Kurs: Mo – Fr

   Beginn: *am* _____

   Ende: _____

   Dauer: _____   =   _____

3   Mittagspause: 12.30 – 13.15

   Beginn: _____

   Ende: _____

   Dauer: _____   =   _____

AB 17 **b)** Hören und Sprechen. Benutzen Sie die Angaben in a).

Beispiel:
- ● *Konferenzbeginn?*
- ■ *Die Konferenz beginnt um neun Uhr dreißig.*
- ● *Und das Ende?*
- ■ *Die Konferenz ist um fünfzehn Uhr dreißig zu Ende.*
- ● *Dauer?*
- ■ *Die Konferenz dauert sechs Stunden.*

M **Sätze mit *da***

1 Herr Meier ist nicht anwesend. _Herr Meier ist nicht da._

2 Um 10.00 Uhr haben wir einen Termin. _Da_

3 Alle Teilnehmer sind anwesend. _____

4 Um 9.30? Um 9.30 beginnt die Konferenz. _____

N **Nomen aus Verben**

Suchen Sie in Lektion 3 acht Nomen mit der Endung *...ung*.

		Plural	Verb
1	die _Besprechung_	die Besprechungen	besprechen
2	die _Tagesordnung_	_____	—
3	die _____	_____	_____
4	die _____	_____	_____
5	die _____	_____	_____
6	die _____	_____	üben
7	die _____	die Planungen	_____
8	die _____	_____	begrüßen

O **Wie viele Wörter?**

Markieren Sie Wortanfang und Wortende.

B E G I N N|S T U N D E N P L A N M I T A R B E I T E R M I N U T E U N T E R
R I C H T M I T T W O C H T A G P A U S E M O R G E N T E I L N E H M E R
S P R A C H K U R S P R A K T I K A N T I N T E R M I N D I E N S T A G E N D E

P **Zeitangaben und Nummern**

Angaben Seite 30: Schreiben Sie.

a) Geschäftszeiten Schlüsseldienst Blitz: _24 Stunden pro Tag_

b) Fax-Nummer Sausalitos: _____

c) Sprechstunde Dr. Wirth donnerstags: _____

d) Brötchen bei Frischemarkt am Wochenende: _____

e) Telefonnummer Schlüsseldienst Blitz: _____

f) Öffnungszeiten Sausalitos dienstags: _____

g) Beginn Parkverbot Montag–Freitag: _____

h) Samstags geschlossen: _____

i) Mittagspause Sparkasse: _____

Kartoffeln? – Kartoffeln! – Kartoffeln ...

● Was isst du gern?
▲ Ich esse gern Fleisch und Gemüse.

● Was trinkst du gern?
▲ Ich trinke gern Cola.

● Und was machst du gern am Abend?
▲ Am Abend treffe ich gern Freunde.

Freunde treffen
essen gehen
eine Party machen
ein Buch lesen
Musik hören
ins Kino gehen
...

1   Ihre Vorlieben

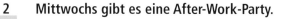

S. 42 A   Partnerarbeit: Was essen Sie gern? Was trinken Sie gern?
Was machen Sie gern am Abend?

2   Mittwochs gibt es eine After-Work-Party.

a) Hören Sie. Was ist richtig? Kreuzen Sie an.

1	Mittwochs gibt es	selten	oft	immer eine Party.
2		Sören geht	Lihua geht	Beide gehen zur Party.
3	Das Gespräch ist	eine Verabredung.	eine Einladung.	eine Anmeldung.
4	Die Party beginnt	früh.	spät.	gerade richtig.

b) Was hören Sie? Was glauben Sie? Was trinken/essen die beiden gern/nicht so gern, oft/selten, viel/wenig? Machen Sie in Partnerarbeit eine Tabelle. Diskutieren und vergleichen Sie.

S. 42 B

gern		nicht so gern		oft		selten		viel		wenig	
Sören	Lihua	Sören	Lihua	Sören	Lihua	Sören	Lihua	Sören	Lihua	Sören	Lihua
	Cola		Bier			Tee			Reis		

Wir glauben, Sören trinkt selten Tee. Lihua trinkt oft Tee. Lihua isst viel Reis und trinkt gern Cola. ...

3

S. 42 C

Fast Food

Frankreich 38 %

Deutschland 32 %

Spanien 20 %

Großbritannien 46 %

... oder ...

- Isst man in Deutschland sehr gern Fast Food?
- Wer isst oft im Restaurant?
- Essen viele Franzosen gern Fast Food?
- Essen Italiener oft oder selten im Restaurant?
- Wie ist es in Großbritannien und Spanien?
- Wie ist es bei Ihnen?
- Und Sie? Was essen Sie gern? Wo essen Sie?

Restaurant

Frankreich 22 %

Deutschland 31 %

Italien 18 %

Spanien 12 %

Gr. S. 41, 1

4 **Was essen und trinken Sie gern?**

a) Fragen Sie andere Kursteilnehmer. Notieren Sie die Antworten.

Gr. S. 41, 3

- *Thomas, isst du gern Gemüse?*
- *Nein, Gemüse esse ich nicht gern. Ich esse gern Nudeln.*

  - *Maria, was trinkst du gern?*
  - *...*

Name	😃	🙁
Thomas	Nudeln	Gemüse
Maria		

S. 42 D
S. 43 E

b) Berichten Sie.

Gemüse isst Thomas nicht gern. Er isst gern Nudeln.

5 **gern – nicht (so) gern, oft – selten, viel – wenig, früh – spät, lang – kurz**

S. 43 F

Kaffee
Tee

Mittagspause
in Deutschland
in Spanien

After-Work-Partys
in Österreich
in ...

Nudeln
Kartoffeln

...

In Partnerarbeit.

- *Trinken Sie viel Kaffee?*
- *Nein, ich trinke wenig Kaffee.*
  Kaffee trinke ich wenig, ich trinke viel Tee.
- *Wie viel Tee trinken Sie?*
- *Vier Tassen pro Tag.*

- *Ist die Mittagspause in Deutschland lang?*
- *Nein, in Deutschland ist die Mittagspause kurz, in Spanien ist sie lang.*
- *Wie lang ist die Mittagspause in Spanien?*

- *Isst du oft Nudeln?*
- *Ja, ich esse oft Nudeln.*
  Na ja, Nudeln esse ich oft, aber nicht gern.

- *Wie oft isst du Nudeln?*
- *Zwei- oder dreimal pro Woche.*

37 ▲ Essen Sie gern Schweineschnitzel?
  Hätten Sie gern ein Schweineschnitzel?
■ Ja, Schweineschnitzel esse ich gern.
  Nein, ich nehme lieber das Tofuschnitzel.

▲ Ich nehme den Gemüseeintopf. Was nimmst du?
■ Den nehme ich auch.
  Ich nehme lieber den Milchreis.

▲ Welches Dessert nehmen Sie? Obstsalat oder Joghurt?
■ Ich hätte gern einen Obstsalat.
  Ich nehme den Joghurt.

Weidrich AG **Kasino**
Speiseplan 36. Woche

M o n t a g
Schweineschnitzel,   Tofuschnitzel,
Pommes frites,   Pommes frites
Kräuterbutter

D i e n s t a g
Gemüseeintopf   Milchreis mit
mit Würstchen   Früchten

M i t t w o c h
Rinderbratwurst mit   Bratkartoffeln mit
Kartoffelpüree,   Röstzwiebeln,
Zwiebelsoße   Spiegelei

D o n n e r s t a g
Ravioli mit   Spaghetti
Tomatensoße   mit Käse-Sahne-Soße

F r e i t a g
Lachsfilet, Broccoli,   Gemüseteller (Karotten,
Petersilienkartoffeln   Blumenkohl, Zucchini,
                gebackene Tomate)

Salate: am Salatbüfett mit drei verschiedenen
          Dressings
Dessert: Obstsalat, Schokoladenpudding,
          Früchtejoghurt

---

6   **In der Betriebskantine**

S. 43 G   In Partnerarbeit: Was essen Sie gern?
Was nehmen Sie? Diskutieren Sie.

7   **Mahlzeit!** Hören Sie.
38

S. 43 H   **a)** 1 Welcher Wochentag ist heute?
S. 43 I   2 Welche Gerichte gibt es heute ?
            3 Welches Gericht ist vegetarisch?
            4 Welche Beilage isst Sören nicht gern?
            5 Welche Beilage nimmt Sören?
               Welche nimmt Edith?
            6 Welchen Nachtisch nehmen die beiden?
            7 Was trinken die beiden?   Gr. S. 41, 4-5

b) 1 Heute gibt es _Bratwurst mit Kartoffelpüree oder_ _____.

2 Sören möchte nicht immer _____.

3 Sören sagt: „Ich nehme einen _____ und ein _____."

4 Edith hätte gern _____ und sie möchte _____.

5 Als Nachtisch nehmen Edith und Sören den _____.

Gr. S. 41, 2

8 Grüße, Wünsche und Fragen in der Kantine. Ordnen Sie zu.

S. 44 J

A ▲ Was gibt es heute? ——— 1 ■ Mahlzeit!
B ▲ Mahlzeit! 2 ■ Danke, gleichfalls.
C ▲ Ist hier noch frei? 3 ■ Bratwurst mit Kartoffelpüree.
D ▲ Guten Appetit! 4 ■ Ja, bitte. Nehmen Sie Platz.
E ▲ Schmeckt's? 5 ■ Danke, gut.

9 Stellen Sie ein Menü zusammen.

S. 44 K
S. 44 L
S. 44 M

A Brat ——— 1 Schnitzel
B Früchte 2 Steak
C Milch 3 Braten
D Rinder 4 Kartoffeln
E Salz 5 Wurst
F Schweine 6 Rouladen
G Kartoffel 7 Joghurt
 8 Püree
... und Suppen 9 Reis
   ... und Salate
      ... und ...

Mein Menü:

Vorspeise: Karottensalat
Hauptgericht: Bratwurst
Beilage: Kartoffelpüree
Nachtisch: Früchtejoghurt

Gr. S. 41, 6

Salat

Suppe

Kartoffelsuppe

10 Machen Sie Dialoge in der Kantine.

S. 45 N
S. 45 O

▲ Gibt es noch den Gemüseeintopf? Ich hätte gern
   einen Gemüseeintopf mit Würstchen.
■ Nein, aber wir haben noch Milchreis mit Früchten.
▲ Gut, ich nehme den Milchreis.

▲ Welche Beilage hätten Sie gern? Reis oder Kartoffeln?
■ Ich nehme lieber Reis. Kartoffeln esse ich nicht gern.

▲ Mahlzeit, Karin.
■ Mahlzeit. Was gibt's denn heute?
▲ Ravioli und Eintopf. Ich nehme Ravioli und einen Salat.
■ Das nehme ich auch. | ■ Ich nehme den Eintopf.

▲ Ist hier noch frei?
■ Ja, bitte. Nehmen Sie Platz. | ■ Nein, leider nicht. Hier ist schon besetzt.
▲ Danke. Guten Appetit.

Gr. S. 41, 7

11   **Ist das wirklich so?**

S. 45 P

1 Zum Frühstück gibt es Suppe, Fleisch und Gemüse. Dazu trinkt man ein Glas Bier oder Wein. Viele essen auch gern Obst oder Müsli.

2 Das Mittagessen ist oft kalt: Brot, Wurst und Käse, vielleicht Salat. Dazu gibt es Tee, Saft oder Mineralwasser. Zum Nachtisch gibt es Eiscreme.

3 Am Abend isst man immer warm: Brötchen, Butter und Marmelade, manchmal auch Käse und Wurst oder ein Ei. Man trinkt Kaffee, Tee, Milch oder Orangensaft.

Ihre Erfahrung, Ihre Meinung:

Frühstück	Mittagessen	Abendessen

Wie ist es bei Ihnen?

12   **Pünktlich – unpünktlich? Höflich – unhöflich?**

Familie Brenner erwartet Huang Lihua um 20.00 Uhr zum Abendessen. Sie kommt um 20.15 Uhr. Das Essen ist fertig. Herr Brenner holt gerade die Getränke. Herr und Frau Brenner begrüßen Frau Huang freundlich.

Sören Bläser hat um 19.00 Uhr ein Essen mit Frau Richardson im Restaurant „Sonnenhof". Sie ist eine Geschäftspartnerin von Firma Weidrich. Herr Bläser kommt um 19.15 Uhr. Seine Freundin kommt auch mit. Frau Richardson wartet schon.

Ist Huang Lihua pünktlich oder unpünktlich? Ist sie höflich oder unhöflich?
Ist Sören Bläser pünktlich oder unpünktlich? Ist er höflich oder unhöflich?

 13   **Der Besuch kommt.**

Hören Sie. Wer kommt zu Besuch? Wer begrüßt den Besuch? Hat der Besuch ein Geschenk?

1 das Verb *essen*   2 *hätte_, möchte_, sein*

ich	esse	hätte	möchte	bin
du	isst	hättest	möchtest	bist
er/sie	isst	hätte	möchte	ist
wir	essen	hätten	möchten	sind
sie/Sie	essen	hätten	möchten	sind

3 Akzent im Satz

1		Verb	...
	Ich	esse	gern Bratkartoffeln.
	Reis	esse	ich nicht so gern.
	Frau Huang	trinkt	viel Tee.
	Kaffee	trinken	die Chinesen nicht viel.
	Heute	gibt	es Kartoffeln.
Aber	morgen	essen	wir Reis.

4 Welche_?   Akkusativ   Nominativ

	Akkusativ	Nominativ	
mask.	Welchen Salat möchten Sie? Den oder den?	der Salat	Welcher schmeckt gut?
neutr.	Welches Dessert möchten Sie? Das oder das?	das Dessert	Welches schmeckt gut?
fem.	Welche Suppe möchten Sie? Die oder die?	die Suppe	Welche schmeckt gut?
Plural	Welche Nudeln möchten Sie? Die oder die?	die Nudeln	Welche schmecken gut?

5 Akkusativ: unbestimmter Artikel   bestimmter Artikel

	unbestimmter Artikel		bestimmter Artikel
mask.	Möchten Sie einen Salat?	der Salat	Ich nehme den Salat.
neutr.	Möchten Sie ein Dessert?	das Dessert	Ich nehme das Dessert.
fem.	Möchten Sie eine Suppe?	die Suppe	Ich nehme die Suppe.
Plural	Möchten Sie – Kartoffeln?	die Kartoffeln	Ich nehme die Kartoffeln.

6 Zusammengesetzte Nomen

Bestimmungswort	Grundwort	→		Bestimmungswort	Grundwort	→
das Rind	das Filet	das Rinderfilet		das Gemüse	der Teller	der Gemüseteller
der Lachs		das Lachsfilet		die Suppe		der Suppenteller

7 ohne Artikel („0-Artikel")   mit Artikel

ohne Artikel („0-Artikel")	mit Artikel
Heute gibt es Gemüseeintopf.	Ich nehme den Gemüseeintopf.
Schnitzel esse ich gern.	Ich möchte bitte ein Schnitzel.
Trinkt man in China auch Wein zum Essen?	Ich hätte lieber eine Cola zum Essen.
Frau Huang kommt aus China.	Woher kommt die Frau?

Wichtige Wörter und Wendungen

Essen und Trinken

Mahlzeiten	Mittagessen	Getränke	
das Frühstück	die Vorspeise	Kaffee	Mineralwasser
das Mittagessen	das Hauptgericht	Tee	Bier
das Abendessen	die Beilage	Saft	Wein
	der Nachtisch / das Dessert		

In der Kantine: a) Bestellen

Ich nehme	den/das/die ...	● Nehmen	Sie auch ...?	▲ Ja, bitte.
Ich hätte gern	einen/ein/eine ...	Möchten		Nein, ich nehme lieber ...
Ich möchte				

b) Am Tisch

● Mahlzeit!   ▲ Mahlzeit!
● Was gibt es heute?   ▲ Gemüseeintopf oder Schweineschnitzel.
● Ist hier noch frei?   ▲ Ja, bitte.
● Guten Appetit!   ▲ Danke, gleichfalls.
● Schmeckt's?   ▲ Danke, gut.

A   Wie heißt das auf Deutsch?

die Kartoffeln (Plural) _____   _____   _der Reis_ _____

_____   _____   _____

_____   _____   _____

B   Gern essen/trinken
Schreiben Sie sechs Sätze.

Fisch | Tee | Pizza |
Saft | Gemüse | ~~Wein~~

~~trinkst~~ | esse | trinken |
isst | trinkt | essen

1	Verb	...
Ich	_____	gern _____.
Du	_trinkst_	gern _Wein._
Christian	_____	gern _____
Frau Brenner	_____	gern _____.
Wir	_____	gern _____
Lihua und Sören	_____	gern _____.

C   Ein Wort ist immer neu.

1 Ich esse gern Nudeln.

2 Wir _essen gern_ _____.

3 _____ Reis.

4 Frau Huang _____.

5 _____ du auch _____ ?

6 Trinkst _____Cola?

7 Nein, ich _____ nicht gern _____.

8 Aber ich trinke gern Tee.

D   Schreiben Sie Sätze in die Tabelle.

1 Essen Sie gern Kartoffeln? (nicht so gern | lieber Nudeln)
2 Sind Sie oft in Deutschland? (nicht so oft | oft in Österreich)
3 Trinken die Deutschen Tee zum Essen? (selten | oft Mineralwasser)
4 Isst man in China viel Kartoffeln? (nicht so viel | viel Nudeln und Reis)

Beispiel: Diego Sanchez wohnt in Zürich. **Ich** wohne in Zürich. Wohnst **du** in Zürich? ... in **Berlin**? ...

1	Verb	...
1 _____	_Essen_	_Sie gern Kartoffeln?_
Kartoffeln	_esse_	_ich nicht so gern._
Ich	_esse_	_lieber Nudeln._
2 _____	_____	_____
_____	_____	_____
_____	_____	_____
3 _____	_____	_____
_____	_____	_____
_____	_____	_____
4 _____	_____	_____
_____	_____	_____

E Hören und sprechen

Beispiel 1 ● *Ich esse gern Nudeln.*
▲ *Nudeln esse ich nicht so gern.*

Beispiel 2 ● *Ich trinke gern Wein.*
▲ *Wein trinke ich nicht so gern.*

F früh, lang, selten, spät, viel, oft, wenig, kurz

1 Um 6.00 Uhr? Das ist _früh_____.

Um 9.30 Uhr? Das ist _____.

2 Zehn Minuten? Das ist _____.

Eine Stunde? Das _____.

3 Einmal pro Woche? _____.

Jeden Tag? _____.

4 8,50 Euro? _____.

46 Euro? _____.

5 Vier Wochen? _____.

Vier Tage? _____.

6 Schon am Morgen? _____.

Am Abend? _____.

7 Drei Personen? _____.

50 Personen? _____.

8 Nur montags? _____.

Montags und mittwochs? _____.

9 Das „e" in „essen"? _____.

Das „e" in „Tee"? _____.

G Schreiben Sie die Wörter mit Artikel.

1 neschnitSchweizel _das Schweineschnitzel_____

2 felKarpüreetof _____

3 masoßetenTo _____

4 Gelermüsetel _____

5 atbrderRinstwur _____

6 dendingkolapudScho _____

H Ordnen Sie den Dialog.

A Bratwurst mit Kartoffelpüree oder Bratkartoffeln mit Spiegelei.
B Früchtejoghurt.
C Mahlzeit, Edith. Was gibt's denn heute?
D Ich hätte auch gern Früchtejoghurt.
⌁ E Hallo, Sören. Mahlzeit.
F Dann nehme ich lieber einen Salatteller. Und ein Brötchen.

G Ja, du. Aber ich hätte gern pro Woche einmal Reis.
H Immer nur Kartoffeln!
I Und was möchtest du zum Nachtisch?
J Aber Reis gibt es nicht.
K Ich esse gern Kartoffeln.
L Also eine Bratwurst mit Kartoffelpüree, einen Salatteller und zwei Früchtejoghurt.

I Welch_?

a) 1 zwei Kursteilnehmer: _Welcher_____ heißt Kada?

2 zwei Kurse: _____ ist lang?

3 zwei Fotos: _____ ist von Carola?

4 zwei Gerichte: _____ ist vegetarisch?

5 zwei Nummern: _____ ist richtig?

6 zwei Antworten: _____ ist falsch?

b) 1 zwei Kursteilnehmer: _____ begrüßen wir?

2 zwei Kurse: _____ nimmst du?

3 zwei Fotos: _Welches_____ möchten Sie?

4 zwei Desserts: _____ hättest du gern?

5 zwei Nummern: _____ hast du?

6 zwei Antworten: _____ schreibt er?

AB 19 **c)** Hören und sprechen

● *Gibt es Nachtisch?*

▲ *Ja. Welchen möchten Sie? Den oder den?*

Den ...

oder den?

J   **Aussprache: *e* oder *i*, lang oder kurz?**

a) Markieren Sie: kurz wie in *Fisch* oder lang wie in *Zwiebeln*?

1 Fisch	5 Bier	9 ich esse	13 sieben	17 viel
2 Zwiebeln	6 gern	10 du isst	14 bitte	18 selten
3 Tee	7 trinken	11 er ist	15 sechs	19 Paris
4 Püree	8 nehmen	12 Kaffee	16 wenig	20 Pizza

AB 20 **b)** Sprechen Sie nach.

K   **Zusammengesetzte Nomen, Artikel und Plural. Benutzen Sie das Wörterbuch.**

a) Was passt zusammen?

A Betriebs	1 Braten
B Chemie	2 Name
C Deutsch	3 Kalender
D Familien	4 Plan
E Früchte	5 Tag
F Konferenz	6 Teilnehmer
G Mittag	7 Kurs
H Schweine	8 Laborantin
I Speise	9 Kantine
J Stunden	10 Joghurt
K Termin	11 Essen
L Wochen	

b) Artikel

die   *Betriebskantine*

____   _____

der   _____

c) Plural

Betriebskantinen

_____

_____

AB 21 **L**   **Hören und sprechen**

● *Lachsfilet oder Gemüseteller?*

▲ *Ich nehme lieber den Gemüseteller.*

1 der Gemüseteller	5 der Obstsalat
2 die Rinderroulade	6 das Spiegelei
3 das Kartoffelpüree	7 die Tomatensoße
4 der Tomatensalat	8 die Suppe

M   **Hier stimmt etwas nicht. Korrigieren Sie.**

1
Vorspeise
Suppe
Hauptgericht
Eiscreme
Beilage
Salzkartoffeln
Nachtisch
Rinderroulade

2
Vorspeise
Bratwurst
Hauptgericht
Vanillepudding
Beilage
Kartoffelsalat
Nachtisch
gebackene Tomate

3
Vorspeise
Salatteller
Hauptgericht
Gemüsereis
Beilage
Lachsfilet
Nachtisch
Früchte mit Sahne

4
Vorspeise
Karottensalat
Hauptgericht
Rindfleisch
Beilage
Früchtejoghurt
Nachtisch
Nudeln

N **Akkusativ**

1 (Suppe, Schnitzel, Pudding)

Ich hätte gern eine _Suppe_, _____ _____ und _____ _____.

2 (Stadt, Land, Beruf)

Schreiben Sie bitte die _____, _____ _____ und _____ _____ in die Tabelle.

3 (Unterricht, Lehrerin, Buch)

Wie findest du _____ _____, _____ _____, d____ _____?

4 (Lachsfilet, Bratwurst, Rinderbraten)

Möchten Sie ein____ _____, ein____ _____ oder ein____ _____?

5 (Kaffee, Cola, Mineralwasser)

Möchten Sie _____ _____, _____ _____ oder _____ _Mineralwasser_?

O **Bestimmter Artikel? Unbestimmter Artikel? Kein Artikel („0-Artikel")?**

1 Ich esse gern ___0___ Schweinebraten. Aber heute ist ___der___ Schweinebraten nicht gut.

2 Gibt es _____ Nachtisch? – Ja, _____ Früchtejoghurt und _____ Obstsalat. _____ Obstsalat ist gut.

3 In Deutschland trinke ich gern _____ Bier. In Italien und Frankreich trinke ich lieber _____ Wein.

4 Möchten Sie _____ Fisch oder _____ Fleisch? – Ist _____ Fisch heute gut?

5 Gibt es _____ Tee? Frau Huang möchte _____ Tee zum Essen.

6 Es gibt _____ Ravioli und _____ Spaghetti. Ich nehme _____ Ravioli mit _____ Tomatensoße.

P **Was passt zu den Mahlzeiten?**

1 das Bier | 2 das Brot | 3 ~~das Brötchen~~ | 4 die Butter | 5 das Ei | 6 das Fleisch | 7 das Gemüse | 8 der Kaffee | 9 der Käse | 10 die Marmelade | 11 die Milch | 12 ~~das Mineralwasser~~ | 13 das Müsli | 14 der Nachtisch | 15 das Obst | 16 der Orangensaft | 17 der Saft | 18 der Salat | 19 die Suppe | 20 der Tee | 21 der Wein | 22 die Wurst

	Essen	**Trinken**
das Frühstück	_das Brötchen_	_____
	_____	_____
	_____	_____
	_____	_____
das Mittagessen	_____	_das Mineralwasser_
	_____	_____
	_____	_____
	_____	_____
das Abendessen	_____	_____
	_____	_____
	_____	_____
	_____	_____

Zug oder Bus oder Fahrrad oder ...?

der Bus
das Fahrrad
der Zug
die S-Bahn
die Straßenbahn
...
zu Fuß gehen

- ● *Wie kommst du zum Sprachkurs?*
- ▲ *Ich nehme die S-Bahn.*
- ● *Und du?*
- ■ *Ich gehe zu Fuß. Und du?*

1   Wie kommen Sie zum Sprachkurs?

fragen: *Wie kommst du zum Sprachkurs?*

antworten: *Ich nehme die S-Bahn, Linie 4.*

notieren: *Vera: S-Bahn, Knut: zu Fuß; ...*

berichten: *Vera nimmt die S-Bahn, Knut geht zu Fuß. ...*

2   Wie kommen die Leute von Frankfurt nach Bad Vilbel?

S. 52 A

a) Hören Sie. Tragen Sie die Verkehrsmittel ein und sprechen Sie.

Verkehrsmittel	Argumente für das Verkehrsmittel	Argumente gegen das Verkehrsmittel
das Auto	ist bequem | einen Sitzplatz |	keinen Parkplatz | einen Stau |
_____	macht Spaß | ist gesund |	40 Minuten | das Wetter nicht gut |
_____	nur 25 Minuten | fährt alle 10 Minuten |	kostet € 2,70 | fährt heute nicht |
_____	schnell | brauchen keinen Parkplatz	zur Haltestelle 15 Minuten | voll

b) Setzen Sie ein: nehme | nehmt | nimmt | nimmt | nimmt | ~~kommt~~ | gehe | brauche | brauche

Also, Leute, wie _kommt_ ihr nach Bad Vilbel? Vera _____ das Auto. Mehmet und Theo, ihr

_____ den Bus. Aber vielleicht _____ nur Theo den Bus und Mehmet _____ die S-Bahn.

Und ich? Ich _____ kein Fahrrad. Ich _____ auch keinen Bus und kein Auto und keine

S-Bahn. Ich _____ einen Regenschirm und _____ zu Fuß.

Gr. S. 51, 4

---

3 Schreiben Sie den Dialog zu Ende.

S. 52 B

▶ *Ich nehme den Bus.*

● *Das kostet aber fünf Euro.*

▶ *Also gut,* _____

● _____

▶ _____

● _____

▶ _____

● _____

---

4 Welche Antwort passt?

▶ 1 Gibt es in Bad Vilbel Parkplätze?
   2 Wer geht zu Fuß?
   3 Warum nehmt ihr nicht die S-Bahn?
   4 Habt ihr einen Regenschirm?
   5 Gibt es keinen Bus?
   6 Wie oft nimmst du das Auto?
   7 Wir nehmen den Bus.

● A Nein. Und ihr?
   B Selten. Ich nehme lieber die S-Bahn.
   C Warum geht ihr nicht zu Fuß?
   D Peter vielleicht, aber ich nicht.
   E Doch, aber heute fährt er nicht.
   F Ja, aber nicht viele.
   G Die kostet 2 Euro 70.

---

5 Schreiben Sie in die Lücken.

S. 52 C
S. 53 D

▶ Ich glaube, wir nehmen _____das_____ Auto.   Gr. S. 51, 1-2

● Vielleicht gibt es _____ Stau. Oder wir finden keinen Parkplatz.

▶ Das ist _____ Problem. Dort gibt es immer _____ Parkplätze.

● Warum nehmen wir nicht einfach die Fahrräder?

▶ Ich habe _____ Fahrrad. Und Simon hat auch kein Fahrrad.

● Ich habe _____ Fahrräder für alle.

▶ Es gibt aber auch _____ S-Bahn um 9.30 Uhr. Sie braucht nur zwölf Minuten.

● Oder wir nehmen _____ Bus. Der Bus fährt aber um zehn Uhr.

---

6 Wie machen Sie es? Wie nicht?

Gr. S. 51, 1-3

S. 53 E
S. 53 F

von wo: vom Hauptbahnhof, von Frankfurt ...
wohin: zum Hotel Victoria, nach Bad Vilbel ...

zu Fuß gehen, den Bus / ein Taxi / ... nehmen

Argumente für den/das/die ...

Argumente gegen den/das/die ...

... ist bequem/billig/einfach/gesund ...

Das ist weit /... Ich kenne die Stadt / ...

Ich nehme den Bus. Der Bus ist bequem.

Ich gehe nicht zu Fuß. Das Wetter ist schlecht.

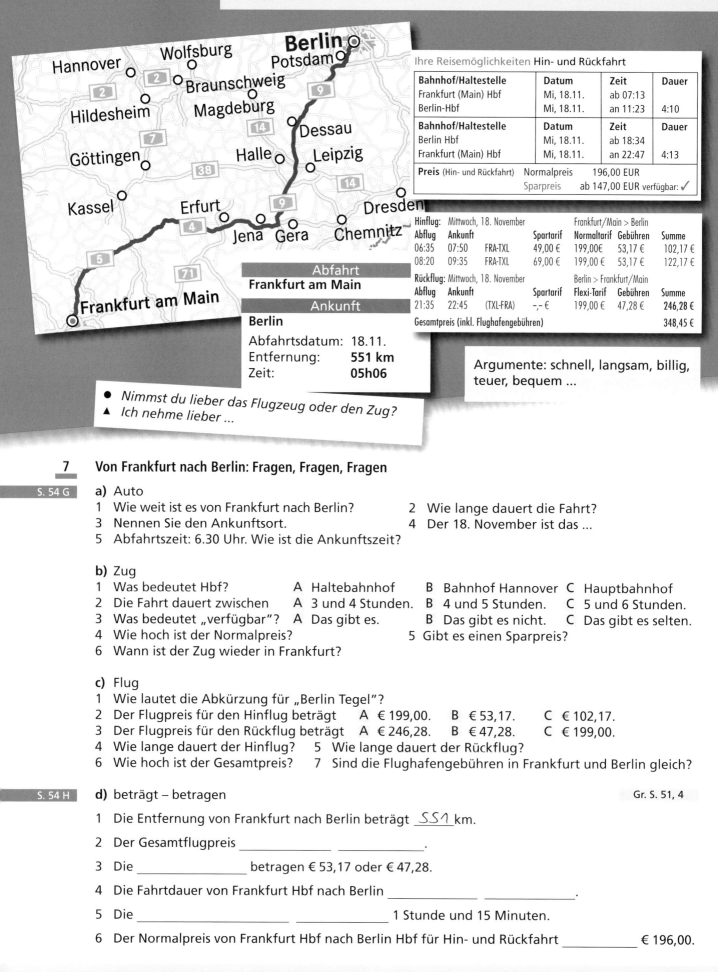

Ihre Reisemöglichkeiten Hin- und Rückfahrt

Bahnhof/Haltestelle	Datum	Zeit	Dauer
Frankfurt (Main) Hbf	Mi, 18.11.	ab 07:13	
Berlin-Hbf	Mi, 18.11.	an 11:23	4:10

Bahnhof/Haltestelle	Datum	Zeit	Dauer
Berlin Hbf	Mi, 18.11.	ab 18:34	
Frankfurt (Main) Hbf	Mi, 18.11.	an 22:47	4:13

Preis (Hin- und Rückfahrt)   Normalpreis   196,00 EUR
                                 Sparpreis   ab 147,00 EUR verfügbar: ✓

Hinflug: Mittwoch, 18. November   Frankfurt/Main > Berlin

Abflug	Ankunft		Spartarif	Normaltarif	Gebühren	Summe
06:35	07:50	FRA-TXL	49,00 €	199,00€	53,17 €	102,17 €
08:20	09:35	FRA-TXL	69,00 €	199,00 €	53,17 €	122,17 €

Rückflug: Mittwoch, 18. November   Berlin > Frankfurt/Main

Abflug	Ankunft		Spartarif	Flexi-Tarif	Gebühren	Summe
21:35	22:45	(TXL-FRA)	–,– €	199,00 €	47,28 €	246,28 €

Gesamtpreis (inkl. Flughafengebühren)   348,45 €

Abfahrt
Frankfurt am Main
Ankunft
Berlin

Abfahrtsdatum: 18.11.
Entfernung: **551 km**
Zeit: **05h06**

Argumente: schnell, langsam, billig,
teuer, bequem ...

● Nimmst du lieber das Flugzeug oder den Zug?
▲ Ich nehme lieber ...

7 **Von Frankfurt nach Berlin: Fragen, Fragen, Fragen**

S. 54 G

a) Auto
1 Wie weit ist es von Frankfurt nach Berlin?   2 Wie lange dauert die Fahrt?
3 Nennen Sie den Ankunftsort.   4 Der 18. November ist das ...
5 Abfahrtszeit: 6.30 Uhr. Wie ist die Ankunftszeit?

b) Zug
1 Was bedeutet Hbf?   A Haltebahnhof   B Bahnhof Hannover C Hauptbahnhof
2 Die Fahrt dauert zwischen A 3 und 4 Stunden. B 4 und 5 Stunden. C 5 und 6 Stunden.
3 Was bedeutet „verfügbar"? A Das gibt es.   B Das gibt es nicht. C Das gibt es selten.
4 Wie hoch ist der Normalpreis?   5 Gibt es einen Sparpreis?
6 Wann ist der Zug wieder in Frankfurt?

c) Flug
1 Wie lautet die Abkürzung für „Berlin Tegel"?
2 Der Flugpreis für den Hinflug beträgt   A € 199,00.   B € 53,17.   C € 102,17.
3 Der Flugpreis für den Rückflug beträgt   A € 246,28.   B € 47,28.   C € 199,00.
4 Wie lange dauert der Hinflug?   5 Wie lange dauert der Rückflug?
6 Wie hoch ist der Gesamtpreis?   7 Sind die Flughafengebühren in Frankfurt und Berlin gleich?

S. 54 H

d) beträgt – betragen   Gr. S. 51, 4

1 Die Entfernung von Frankfurt nach Berlin beträgt __SS1__ km.

2 Der Gesamtflugpreis _____ _____.

3 Die _____ betragen € 53,17 oder € 47,28.

4 Die Fahrtdauer von Frankfurt Hbf nach Berlin _____ _____.

5 Die _____ _____ 1 Stunde und 15 Minuten.

6 Der Normalpreis von Frankfurt Hbf nach Berlin Hbf für Hin- und Rückfahrt _____ € 196,00.

8 Lesen und schreiben Sie die Preise und Uhrzeiten.

a) sieben Uhr dreizehn — *7.13 Uhr*

b) *zweihundertsechsundvierzig Euro achtundzwanzig (Cent)* — € 246,28

c) _____ — € 53,17

d) elf Uhr dreiundzwanzig

e) _____ — € 102,17

f) _____ — 22.47 Uhr

9 Was ist das?

S. 55 J

„551 Kilometer" ist eine Entfernung.

6.35 Uhr
5 Std. 6 Min.
551 km
Hbf
€
€ 348,45 und € 47,28
18. November 2009
€ 47,28
7.35 Uhr, 5 Std. 6 Min. und 22.11.
€ 348,45

ist
sind

ein Symbol.
ein Flugpreis.
ein Datum.
Geldbeträge.
die Abflugzeit nach Berlin.
eine Entfernung.
eine Gebühr.
Zeit- und Terminangaben.
eine Abkürzung.
eine Zeitdauer.

10 Von Frankfurt nach Berlin

Hören Sie und kreuzen Sie an.

a) Warum kein Privatwagen?
   Ein Privatwagen ist   A teuer.
   ☒ nicht versichert.
   C unsicher.

b) Günstige Flugtarife?
   A Das gibt es nicht.
   B Das gibt es, aber nicht jetzt.
   C Das gibt es, aber nicht von Frankfurt.

c) Gibt es ein Sparangebot?
   A Nein.
   B Ja, aber nur 25%.
   C Ja, aber nur 25% für die Hinfahrt.
   D Ja, aber nur 25% für die Rückfahrt.
   E Ja, 50% für die Hin- und 25% für die Rückfahrt.
   F Ja, 25% für die Hin- und 50% für die Rückfahrt.

d) BahnCard?
   A Er hat eine BahnCard.
   B Er hat keine BahnCard.
   C Das hört man nicht.

e) Entscheidung: Auto oder Flugzeug oder Zug?
   A Auto
   B Flugzeug
   C Das hört man nicht.

Bahnhof/Haltestelle	Datum	Zeit	Dauer
Frankfurt (Main) Hbf	Mi, 18.11.	ab 07:13	
Berlin Hbf	Mi, 18.11.	an 11:23	4:10
Berlin Hbf	Mi, 18.11.	ab 18:34	
Frankfurt (Main) Hbf	Mi, 18.11.	an 22:47	4:13

Sparangebot		
Angebot	Preis	Verfügbarkeit
Sparpreis 25	ab 147,00 EUR	✓ verfügbar

11 Diskutieren Sie.

a) Ein Kursteilnehmer sagt, er nimmt den Zug. Finden Sie Argumente gegen den Zug und für das Auto und diskutieren Sie.

b) Ein Kursteilnehmer sagt, er nimmt das Auto. Finden Sie Argumente gegen das Auto und für den Zug und diskutieren Sie.

Gr. S. 51, 3

■ *Das Auto ist schnell.*
● *Aber es gibt oft Staus.*
■ *Nein, selten. Und das Auto ist billig.*
● *Die Zugfahrt ist auch nicht ...*
■ *...*

Das Navigationsgerät („Navi")

der Eingabestift

Bitte zuerst Eingabestift herausnehmen und den Navigator rechts oben einschalten. Dann auf den Startbildschirm tippen und so die Navigation starten.

Der Navigationsbildschirm kommt. Mit Eingabestift auf den Plan tippen. Das Hauptmenü kommt sofort.

Mit Eingabestift auf „Navigieren zu…" tippen.

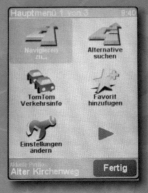

Auf „Adresse" tippen.

Ort eingeben (z. B. die Buchstaben W, A, L, B, E, C, K für Walbeck) und bestätigen (auf den Ortsnamen in der Liste tippen).

Straße eingeben und bestätigen (auf den Straßennamen in der Liste tippen).

Hausnummer eingeben und auf „Fertig" tippen und …

… so Navigation starten. Zum Schluss Zieladresse speichern. Das geht automatisch beim Ausschalten.

---

12 **Wie machen Sie das? Erklären Sie.**

S. 55 K
S. 55 L

a) Das Navi benutzen: Frankfurt am Main, Gleimstraße 36
b) Den Projektor oder den Beamer benutzen
c) Eine CD hören
d) Die Weckzeit „7:00 Uhr" am Handy einstellen

 13 **Technik ist alles.**

Hören Sie. Was meinen Sie?

1 Der bestimmte Artikel

	Maskulinum	Neutrum	Femininum	Plural
Nominativ	der Bus	das Fahrrad	die S-Bahn	die Busse/Fahrräder/S-Bahnen
Akkusativ	**den** Bus	das Fahrrad	die S-Bahn	

2 Der unbestimmte Artikel

	Maskulinum	Neutrum	Femininum	Plural
Nominativ	(k)ein Bus	(k)ein Fahrrad	(k)eine S-Bahn	Busse, Fahrräder, S-Bahnen
Akkusativ	**(k)einen** Bus	(k)ein Fahrrad	(k)eine S-Bahn	keine Busse/Fahrräder/S-Bahnen

3 Präpositionen

für + Akk.:	Argumente für den Zug / eine Pause / die 40-Stunden-Woche / …
gegen + Akk.:	Argumente gegen Abkürzungen / den Bus / Herrn Zähringer / …
zwischen:	Die Fahrt dauert zwischen drei und vier Stunden.

4 Verben

		machen	nehmen	gehen	haben	sein	fahren	betragen
ich	——e	mache	nehme	gehe	habe	**bin**	fahre	—
du	——st	machst	**nimmst**	gehst	**hast**	**bist**	**fährst**	—
er/sie	——t	macht	**nimmt**	geht	**hat**	**ist**	**fährt**	**beträgt**
wir	——en	machen	nehmen	gehen	haben	**sind**	fahren	—
ihr	——t	macht	nehmt	geht	habt	**seid**	fahrt	—
sie/Sie	——en	machen	nehmen	gehen	haben	**sind**	fahren	betragen

Wichtige Wörter und Wendungen

Uhrzeiten und Preise

schreiben:	7.30 Uhr; 16.45 Uhr
sprechen:	sieben Uhr dreißig
	sechzehn Uhr fünfundvierzig
schreiben:	€ 12,30; € 103,95
sprechen:	zwölf Euro (und) dreißig (Cent)
	hundertdrei Euro fünfundneunzig (Cent)

Zahlen 101–999

101	(ein)hunderteins
113	(ein)hundertdreizehn
147	(ein)hundertsiebenundvierzig
199	(ein)hundertneunundneunzig
888	achthundertachtundachtzig
911	neunhundertelf

Fragen und Antworten

Kommst du um 10.00 Uhr?
Ja, ich komme.   Nein, ich komme nicht.

Kommst du nicht um 10.00 Uhr?
Nein, ich komme nicht.   Doch, ich komme.

Hast du ein Fahrrad?
Ja (, ich habe ein Fahrrad).   Nein (, ich habe kein Fahrrad).

Hast du kein Fahrrad?
Nein (, ich habe kein Fahrrad).   Doch (, ich habe ein Fahrrad).

Bedienungsanleitung: Infinitiv
Gerät einschalten. Auf „Start" tippen. Stadt eingeben.

A Schreiben Sie wie im Beispiel.

von Frankfurt nach Bad Vilbel	den Bus	schnell	langsam
von Basel nach Zürich	zu Fuß	nicht teuer	teuer
von Paris nach Bangkok	ein Taxi	bequem	nicht bequem
in Zürich	das Fahrrad	gesund	voll
von Firma ZF zum Bahnhof	das Flugzeug	gut	schlecht
vom Bahnhof zum Hotel	den Zug		

a) Von Frankfurt nach Bad Vilbel nehme ich das Fahrrad. Das ist gesund. Aber es ist langsam.

b) Von Basel

c)

d)

e)

f)

B Schreiben Sie in die Tabelle.

Sie	Wann fahren Sie?	Nehmen Sie ein Taxi?	Oder gehen Sie zu Fuß?
du			
sie	Wann fahren		
wir	Wir fahren um 8.00 Uhr.	Wir nehmen kein Taxi.	Wir gehen zu Fuß.
ich			
er			

C Welcher Artikel? Oder kein Artikel?

AB 22

a) Hören, nachsprechen, schreiben

1 ● Nimmst du _einen_ Kaffee? ▲ Nein, ich trinke _____ Kaffee.

2 ● Hier gibt es _____ Platz. ▲ Doch, da ist noch _____ Platz.

3 ● Ich nehme _____ Bus. ▲ Heute fährt aber _____ Bus.

4 ● Fährt um zehn Uhr _____ S-Bahn? ▲ Nein, leider fährt um zehn Uhr _____ S-Bahn.

5 ● Ist hier noch _____ Platz frei? ▲ Ja, bitte nehmen Sie _____ Platz.

b) Setzen Sie ein: das | die | ein | ein | einen | einen | einen | eine | ~~keine~~ | keinen | keinen

● Ich nehme _keine_ Nudeln. _____ Nudeln sind kalt. Ich habe auch _____ Hunger. Ich glaube, ich nehme _____ Gemüseteller. Nimmst du auch _____ Gemüseteller?

▲ Nein, heute nicht. Vielleicht nehme ich _____ Schweineschnitzel. Oh, es gibt auch Lachsfilet. _____ nehme ich! Möchtest du das auch?

● Ach nein, ich esse _____ Fisch. Aber zum Nachtisch nehme ich _____ Eiscreme.

▲ Gute Idee, aber ich nehme _____ Joghurt. Vielleicht nehmen wir zusammen _____ Mineralwasser.

D Hören und sprechen

a) ■ Ich brauche ein Taxi.
   ● Hier gibt es aber kein Taxi.

b) ■ Trinkst du ein Bier?
   ● Nein, danke, ich trinke kein Bier.

E Schreiben Sie wie im Beispiel.

a) Vera nimmt den Bus. Nimmst du auch den Bus?

b) Claudio _____ ?

c) Beate Bühler _____ ?

d) Ich trinke gern _____ ?

e) Sören nimmt _____ ?

f) Erika isst _____ ?

F Gibt es das in den deutschsprachigen Ländern? Und in Ihrem Land?

a) Parkuhren | b) Frauenberufe | c) Fahrschulen |
d) Fahrradparkhäuser | e) Busfahrpläne |
f) Fahrscheinautomaten | g) Frauenparkplätze |
h) Partystraßenbahnen

▲ Gibt es in Deutschland Fahrschulen?

● Ja (, in Deutschland gibt es Fahrschulen). Auf Bild ... ist eine / sieht man eine.

● Ich glaube, in Deutschland gibt es Fahrschulen. | In Portugal gibt es auch Fahrschulen.
                                        | Aber in Portugal gibt es keine Fahrschulen.

● Nein, in Deutschland gibt es keine Fahrschulen. | In Portugal gibt es auch keine Fahrschulen.
                                        | Aber in Portugal gibt es Fahrschulen.

G Linie 6 und Linie 2

Linie 6: Waldstraße
Fahrtzeiten: 5.33 – 6.03 – alle 15 Minuten – 19.03 – 19.33 – 20.03 – 21.03 – 22.03

3 Minuten	2 Minuten	2 Minuten	1 Minute	4 Minuten
Waldstraße	Schillerplatz	Theater	Hauptpost	Hauptbahnhof	Schlossplatz

a) Fragen zu Linie 6
1 Wie viele Haltestellen hat Linie 6?
2 Wie heißen die Haltestellen von Linie 6?
3 Wie oft fährt Linie 6 zwischen 18.02 und 19.04 Uhr?
4 Wie lange dauert die Fahrt vom Schillerplatz zum Hauptbahnhof?

b) Machen Sie einen Fahrplan für Linie 2.
Linie 2 hat sieben Haltestellen: Bergheim – Industriegebiet – Goetheplatz – Jakobstraße – Markt – Hauptbahnhof – Post. Von Haltestelle zu Haltestelle braucht der Bus 2 Minuten. Linie 2 fährt ab Bergheim um 5.10, 5.40, 6.00, dann im 20-Minuten-Takt bis 18.40, dann alle 30 Minuten bis 22.10 Uhr.

Linie 2: Bergheim
Fahrtzeiten: _____

2 Minuten				
Bergheim					

H Ordnen Sie zu.

A Die Fahrtdauer
B Die Abkürzung TXL
C Die Entfernung
D Die Abkürzung für „Berlin Tegel"
E Die Namen
F Die Gebühren
G Die Telefonnummer
H Der Fahrpreis
I Die Abkürzung VW
J Die Adresse
K Die Fragen
L Die Postleitzahl

1 beträgt
2 betragen
3 lautet
4 lauten
5 bedeutet
6 bedeuten

a „Berlin Tegel".
b drei Euro siebzig.
c TXL.
d zwei Minuten.
e 85223.
f „wann?" und „wo?".
g 05512-24 25 89.
h „Volkswagen".
i € 47,28.
j Molitor und Bergmann.
k dreißig Kilometer.
l Talstraße 27.

I Wie viele Personen sind wann da?

Sonia, Petra und Klaus kommen um acht Uhr zehn und bleiben eine Stunde und fünfunddreißig Minuten. Silvia und Thorsten kommen zusammen und bleiben zwei Stunden. Sie gehen um neun Uhr vierzig. Karen kommt um neun Uhr fünfzehn. Sie bleibt nur zwanzig Minuten.

Wie viele Damen, wie viele Herren, wie viele Personen insgesamt sind	8.00	8.30	9.00	9.30	10.00	10.30
a) um 8.00 Uhr da?		Sonia, Petra, Klaus				
b) um 8.30 Uhr da?						
c) um 9.30 Uhr da?						

J   **Angaben:**   Termin- | ~~Preis-~~ | Zeit- | Prozent- | Entfernungs- | Zahlen- | Orts-

Herr Kröger fragt:

a) „Was kostet das?" Er möchte eine _Preisangabe._

b) „Wie viel Prozent sind das?" Er möchte eine _____ .

c) „Wann beginnt die Besprechung?" Er möchte eine _____ .

d) „Von wann bis wann ist Herr Sake da?" Er möchte eine _____ .

e) „Wo ist das?" Er möchte eine _____ .

f) „Wie viele Personen kommen?" Er möchte eine _____ .

g) „Wie weit ist es nach Mailand?" Er möchte eine _____ .

K   **Aussprache: Lange Vokale**

a) Hören Sie und sprechen Sie nach.

b) Lesen Sie dreimal langsam und laut.

aa - ii - aa - ii	**fah**re – **lie**ber – nach – Berlin	Ich **fah**re **lie**ber morgen nach Berlin.
aa - ää - aa - ää	**Stra**ße – aus**wäh**len – **Ein**gabe bestätigen	Die **Stra**ße aus**wäh**len und die **Ein**gabe bestätigen.
oo - ii - ee - ii - aa	**o**der – wir – **neh**men – **lie**ber – **Wa**gen	**O**der wir **neh**men lieber einen **Wa**gen.
ää - oo - ii - ee	Ge**rät** – **o**ben – **Ziel** – **ein**geben	Das Ge**rät o**ben einschalten und ein **Ziel ein**geben.
ee - uu - oo - ee	**ge**he – **Fuß** – **o**der – **neh**me	Ich **ge**he zu **Fuß o**der **neh**me den Bus.
üü - ää - uu - ee	Ge**bühr** – be**trägt** – **nur** – **zehn**	Die Ge**bühr** be**trägt nur zehn** Euro.
ii - uu - ee - ää	**sie**ben – **Uhr** – **zehn** – **fährt**	Um **sie**ben **Uhr** zehn **fährt** der Bus.

L   **Ordnen Sie zu und schreiben Sie wie im Beispiel.**

A ein Fahrtziel   I ein Menü
B eine CD   J das Gerät
C Daten   K in die Tabelle   1 herausnehmen   5 auswählen
D den Projektor   L die Artikel   2 vorstellen   6 einstellen
E einen Stift   M ein Mittagessen   3 zuordnen   7 ausschalten
F eine Uhrzeit   N eine Person   4 eintragen   8 eingeben
G eine Visitenkarte   O einen Ortsnamen
H Telefonnummern   P die Schlusszeit

ein Fahrtziel auswählen   _____

ein Fahrtziel eingeben   _____

eine CD   _____

_____   _____

_____   _____

_____   _____

_____   _____

_____   _____

_____   _____

Brauchen, haben, kaufen

Brot
Fleisch, Wurst, Eier
Milch, Joghurt, Butter
Reis, Nudeln, Mehl, Zucker, …
Obst: Äpfel, Apfelsinen, …
Gemüse: Blumenkohl,
  Broccoli, Karotten, …
Getränke: Mineralwasser,
  Apfelsaft, Bier …

einmal zweimal dreimal …mal	pro Stunde/Tag/Woche/Monat/Jahr stündlich/täglich/wöchentlich/monatlich/jährlich

45 ▶ Getränke kaufe ich einmal pro Woche.
Und monatlich eine Tafel Schokolade, nur eine.
Einmal pro Woche kaufe ich vier Becher Joghurt und zwei
  Flaschen Mineralwasser.
Ich kaufe täglich Brot.
Alle zwei Tage kaufe ich Obst.

1 **Was kaufen Sie wie oft?**

S. 62 A
S. 62 B

Verpackung	Inhalt	Inhalt + Verpackung
Flasche	Joghurt	
Beutel	Äpfel	
Tafel	Nudeln	
Glas	Schokolade	
Becher	Apfelsaft	
Schale	Zahnpasta	
Dose	Marmelade	
Tube	Mineralwasser	
	Bier	
	Erbsen	
	Creme	

2 Brauchen minus Haben ist Kaufen.

a) Lesen Sie die Fragen und hören Sie dann.

1. Wo hat Oskar den Einkaufszettel?
2. Für wie viele Tage geht Oskar einkaufen?
3. Wieso braucht Oskar so viel Bier?
4. Was trinkt Karen?
5. Hat Oskar noch Mineralwasser?
6. Hat Oskar noch genug Mineralwasser?
7. Was heißt das: „Die Milch ist alle"?
8. Hat Oskar noch genug Zahnpasta?
9. Oskar hat fast keinen Reis mehr. Was heißt das?
10. Wie kaufen Sie Lebensmittel: so wie Oskar oder so wie Tamara?

b) Ergänzen Sie den Einkaufszettel.

> (ein)hundert
> zweihundert
> dreihundert
> ...hundert
>
> Gr. S. 61, 3

c) Lesen Sie den Einkaufszettel so vor:

Oskar braucht ... .
Er hat noch ...
Er hat kein__ ... mehr.
Also kauft er ...

	brauchen − haben	→ kaufen
Brot	2	1
Butter	200 g	
Bier	10 Fl.	
Apfelsaft	1 Fl.	
Mineralwasser	3 Fl.	
Joghurt	4 Becher	2 Becher
Milch		1 Liter
Apfelsinen	0	
Wurst	200 g 0	
Salat	1	
Kartoffeln	3 Kilo	0
Nudeln		0
Reis	fast 0	
Zahnpasta	2 Tuben 1	

3 Wie oft? Täglich, wöchentlich, monatlich, jährlich?

Wie oft benutzen Sie Ihr Handy?
Wie oft haben Sie Unterricht?
Wie oft gehen Sie einkaufen?
Wie oft telefonieren Sie mit Kunden oder Kollegen?
Wie oft gehen Sie zu Fuß zum Sprachkurs?
Wie oft ...?

Ich benutze mein Handy fünfmal täglich.
Mein Handy benutze ich fünfmal täglich.
Fünfmal täglich benutze ich mein Handy.

4 Ein Einkaufszettel für vier Tage

In Partnerarbeit: Machen Sie eine Liste.

Was brauchen Sie?	Wie viel haben Sie?	Wie viel brauchen Sie?	Wie viel kaufen Sie?
Brot	0	1	1
Tomaten	0,5 kg	1 kg	0,5 kg
Blumenkohl	1	1	0

Zählen Sie: Wie viel haben Sie noch?
Was haben Sie noch genug?
Was fehlt? Wie viel fehlt?
Was haben Sie (fast) nicht mehr?
Wie viel brauchen Sie?

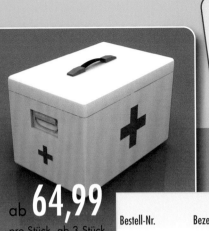

			1 Box	2 Box	3 Box
D	G84-86462	in 10-er Box	5,99	5,49	4,99
E	G84-86463	in 20-er Box	11,19	10,49	9,99

ab 64,99
pro Stück, ab 3 Stück
Bestell-Nr. 320126

			Maße in cm	Preis pro Stück	
Bestell-Nr.	Bezeichnung		B x T x H	1	3
(A)	G84-320126	Erste Hilfe Koffer „Extra Büro"	26,0 x 11,0 x 17,0	69,99	64,99
(B)	G84-320125	Erste Hilfe Koffer „Extra Handwerk"	26,0 x 11,0 x 17,0	69,99	64,99
(C)	G84-0301125	Erste Hilfe Koffer	26,0 x 11,0 x 17,0	72,99	66,99

Sie wollen möglichst günstig kaufen.
Wie viel bestellen Sie?
Wie hoch ist der Preis pro Stück?
Wie hoch ist der Gesamtpreis zuzüglich
19% Mehrwertsteuer?
Begründen Sie Ihre Kaufentscheidung.

			50 Stück	150 Stück	250 Stück
F	G84-2618K	rot	15,99	46,99	59,99
G	G84-2618K	schwarz	15,99	46,99	59,99
H	G84-2618K	blau	15,99	46,99	59,99
I	G84-2618K	pink	19,99	46,99	59,99

5 Wie viel? Zu welchem Preis?

Gruppenarbeit:
Gruppe 1 braucht 70 CDs.
Gruppe 2 braucht zwei Erste-Hilfe-Koffer.
Gruppe 3 braucht 200 Tragetaschen.

Die Arbeitsgruppen berichten.

100	(ein)hundert		10 000	zehntausend
200	zweihundert		11 000	_elftausend_
300	_dreihundert_		17 000	_____
400	_____		70 000	_____
1 000	(ein)tausend		100 000	hunderttausend
2 000	zweitausend		170 000	_____
7 000	_____		270 356	_____

6 70 000 Blatt oder eine Palette?

S. 64 G

a) Schreiben Sie die Zahlen in
die Tabelle rechts.
Lesen Sie die Zahlen laut.

47 **b)** Was ist richtig: A, B oder C? Hören Sie und kreuzen Sie an.

Gr. S. 61, 3

S. 64 H

1 Wie viel Blatt Papier möchte Frau Berg zunächst bestellen?
    A 7 000 Blatt.   B 17 000 Blatt.   C 70 000 Blatt.

2 Welche Kundennummer hat Frau Berg?
    A 725 16.   B 527 60.   C 752 66.

3 Wann kann Frau Grüner liefern? A Morgen.   B Übermorgen.   C Heute.

4 Wie lange kann Frau Berg noch auf das Papier warten?
    A Noch einen Tag.   B Noch zwei Tage.   C Noch drei Tage.

5 Wie viel kosten 70 000 Blatt? A € 4 200,00.   B € 420,00.   C € 920,00.

6 Warum will Frau Berg nicht eine ganze Palette nehmen?
    A Das ist zu teuer.   B Das ist zu wenig.   C Das ist zu viel.

7 Wie viel Prozent kann Frau Berg sparen?
    A 10 Prozent.   B 15 Prozent.   C 12 Prozent.

8 Wie viel Blatt Papier bestellt Frau Berg schließlich?
    A 70 000 Blatt.   B 100 000 Blatt.   C 170 000 Blatt.

7   Fragen und Antworten

S. 64 I

a)   Hören Sie den Dialog noch einmal und ergänzen Sie.

	1	Verb 1	...	Verb 2
1	Was	kann	ich für Sie	tun?
2			70 000 Blatt Papier	bestellen.
3	Wann	wir		?
4	Übermorgen	ich		.
5	–	Können		warten?
6	Der Liefertermin			–
7			Sie nicht eine Palette zu 100 000 Blatt?	–
8			zu viel.	–
9	–	Sie		sparen?
10			immer	.
11	–		Sie dann nicht lieber eine Palette	?
12	Gut, ich		.	–

Gr. S. 61, 1–2

b) Wer fragt, wer antwortet in a) 1–12? Frau Grüner oder Frau Berg?

8   Wie bestellen?

S. 65 J
S. 65 K

	telefonisch	per E-Mail	per Fax	per Brief	
			s c h r i f t l i c h		
Sie können	**telefonisch**	**per E-Mail**	**per Fax**	**per Brief**	bestellen.
Was? Wie viel?	1-2 einfache Artikel	mehrere komplexe Artikel	mehrere komplexe Artikel	viele komplexe Artikel	
Lieferung?	sehr eilig	ziemlich eilig	ziemlich eilig	nicht eilig	
Warenwert?	gering	mittel	hoch	sehr hoch	

Bestellen Sie telefonisch, per E-Mail, per Fax oder per Brief:
- Aktenordner
- Elektro-Stapler
- Werkzeugkoffer
- Schuhputzmaschine
- Druckerpatronen

> Guten Tag, Frau Tomaschek.
> Kann ich bei Ihnen etwas telefonisch bestellen?
> Gut. Wir brauchen dringend ... zu € 14,40 und ...
> zu € 24,90. Können Sie bis morgen
> 12.00 Uhr liefern?

Sehr geehrte Damen und Herren,

vielen Dank für Ihr Angebot vom 22. Mai. Hiermit bestellen wir:

1 Kleintransporter SUBITO zum Preis von € 64 000,00 (vierundsechzigtausend).
Bitte bestätigen Sie den Liefertermin bis 1. Juli.

Mit freundlichen Grüßen

~~T. Sahmeilhan~~

Von:	Robert Adler; Sanofin GmbH
An:	Wiltrud Reimers, Fa. Nehrlinger KG
Cc:	
Betreff:	Bestellung

Hallo Frau Reimers,
bitte liefern Sie bis morgen 17.00 Uhr:

Best.-Nr. 330 AC17 30 Pack Kleberollen
Preis pro Pack € 6,98 zzgl. 19% MwSt.

Mit bestem Dank und mfg

Robert Adler
Sanofin GmbH

Käufertypen

9   Welcher Käufertyp ist das?

a) Schreiben Sie die passenden Buchstaben in die Lücken.

Der planvolle Typ: C,   Der spontane Typ: Der sparsame Typ:

A kauft oft zu wenig.   D schreibt einen Einkaufszettel.   G hat wenig Interesse an Werbung.
B ist offen für alles.   E vergleicht Preis und Leistung.   H kauft oft zu viel und zu teuer.
C plant den Einkauf.   F kauft Sonderangebote.   I liebt schöne und exklusive Dinge.

b) Charakterisieren Sie die drei Käufertypen.   *Die Planvolle plant den Einkauf. Sie ...*

10   Herr Kunstmann, wie finden Sie denn dieses Modell?

48 S. 65 L   **a)** Nummerieren Sie die 12 Texte in der Reihenfolge, wie Sie sie hören.

Ja, schön teuer!

Ich bitte Sie, Frau Garini. So einen Schreibtisch kann man überall kaufen.

Genau, Herr Kunstmann, gute Idee. Bei eBay können auch Sie sehr günstig kaufen.

Aber Herr Kunstmann. Wir sind hier bei der Firma Rhodana GmbH. Das ist kein Museum für moderne Kunst.

Leute, warum kaufen wir die Schreibtische nicht beim Büro-Discount?

Richtig. Und wo ist das Problem? Wir wollen zwei Schreibtische kaufen. Das ist alles.

Und was kostet denn das gute Stück?

Für Bernd Erdinger gibt es nur Discount oder eBay.

Finden Sie den schön?

Ja, ja, praktisch, sehr praktisch. Hier, das ist der Katalog von Office-Design. Das sind Schreibtische! Hier zum Beispiel.

Er passt genau und ist sehr praktisch.

Das steht in der Preisliste. Aber im Moment ist das egal, lieber Herr Erdinger. Der Preis ist meine letzte Frage, nicht meine erste.

b) Wer spricht in den zwölf Texten?

Frau Garini	Herr Kunstmann	Herr Erdinger
	1,	

c) Vermuten Sie: Welche Käufertypen sind Frau Garini, Herr Kunstmann und Herr Erdinger?

11   Welcher Käufertyp sind Sie? Oder sind Sie ein Mischtyp?

S. 65 M   *Ich glaube, ich bin „der/die Planvolle". Ich plane den Einkauf. Aber oft kaufe ich zu viel und ich ...*

1 Modalverben *möchten, können, wollen*

	möchten	können	wollen
ich/er/sie	**möchte**	**kann**	**will**
wir/sie/Sie	**möchten**	**können**	**wollen**

2 Sätze mit Modalverben

1	Verb 1	...	Verb 2
Ich	kann	das Papier morgen	liefern.
Das Papier	kann	ich morgen	liefern.
Morgen	kann	ich das Papier	liefern.
Wann	können	Sie das Papier	liefern?
	Können	Sie das Papier morgen	liefern?

3 hundert und tausend

100	(ein)hundert	1 000	(ein)tausend	1 100	(ein)tausend**ein**hundert
200	zweihundert	2 000	zweitausend	1 200	(ein)tausendzweihundert
300	dreihundert	3 000	dreitausend	2 100	zweitausend**ein**hundert
...	...	...	...	1 327	(ein)tausenddreihundertsiebenundzwanzig
900	neunhundert	9 000	neuntausend	4 186	viertausendeinhundertsechsundachtzig

Wie?

Wie kann man bestellen?	telefonisch	per Telefon
Wie kann man fragen?	–	per E-Mail
Wie kann man antworten?	–	per Fax
	–	per Brief

(noch) genug, kein__ mehr

1	Verb	...
Wir		**keine** Kartoffeln **mehr**.
Kartoffeln	haben	wir **keine mehr**.
Wir		**noch genug** Kartoffeln.
Kartoffeln		wir **noch genug**.

Wie oft?

einmal	ein Mal	stündlich	pro Stunde		zwei	Minuten
zweimal	zwei Mal	täglich	pro Tag		drei	Stunden
dreimal	drei Mal	wöchentlich	pro Woche	alle	vier	Tage
zehnmal	zehn Mal	monatlich	pro Monat		zwanzig	Wochen
hundertmal	hundert Mal	jährlich	pro Jahr		hundert	Monate
						Jahre

Wir schreiben:
einmal oder *ein Mal*,
siebenmal oder *sieben Mal* ...

ziemlich, sehr, zu

Normalerweise dauert die Fahrt 35 Minuten.

Morgens zwischen 7.00 und 8.00 Uhr dauert sie 45 Minuten. Das ist **ziemlich** lange.
Nachmittags von 5.00 bis 6.00 Uhr dauert die Fahrt 50 Minuten. Das ist **sehr** lange.
Freitagnachmittags bis 18.00 Uhr dauert die Fahrt 60 Minuten. Das ist **zu** lange.

Bei der Firma Nehrlinger kostet die Palette Papier € 526,00. Der Preis ist normal.

Bei Büro-Strang kostet die Palette Papier € 540,00. Das ist **ziemlich** teuer.
Bei Papier-Discount kostet die Palette Papier € 499,00. Das ist **sehr** billig.
Bei der Firma Office-Desk kostet die Palette Papier € 589,90. Das ist **zu** teuer.

A   Wie oft?

a) Schreiben Sie in die Lücken.

stündlich   = _einmal pro Stunde_   _____ = einmal pro Monat

_____ = einmal pro Tag   _____ = einmal pro Jahr

wöchentlich   = _____

b) jährlich | monatlich | wöchentlich | täglich | stündlich | einmal | zweimal | dreimal ...

STUNDENPLAN	März-April-Mai				
	Mo	Di	Mi	Do	Fr
09.00–10.30	U	M	U	U	M
11.00–12.30	M	Test	U	U	Test
14.00–14.30		U	Film	U	

U = Unterricht   M = Mediothek

	März	April
Montag	②, ⑨ 16 ㉓ 30	⑥ 13 ㉚ ㉗
Dienstag	3 10 ⑰ 24 ㉛	7 14 21 28
Mittwoch	4 11 18 25	1 8 ⑮ 22 29
Donnerstag	5 12 19 26	2 9 16 23 30
Freitag	6 13 20 27	3 10 17 24
Samstag	7 14 21 28	4 11 18 25
Sonntag	1 8 15 22 29	5 12 19 26

Besprechung

Jahreskonferenz:
12. Januar

Linie 24: *Poststraße*
5.10 – 6.10 – alle 15 Minuten – 19.10 – 20.10 – 21.10

AntiVir Update
2008-05-13
2008-05-26
2008-06-12
2008-06-25
2008-07-13
2008-07-26

	Besucherzahl
9 – 10 Uhr	✝✝✝ ✝✝✝ II
10 – 11 Uhr	✝✝✝ ✝✝✝ ✝✝✝ III
11 – 12 Uhr	✝✝✝ ✝✝✝ ✝✝✝ I

Freiburg (Brsg.) Hbf		Berlin (Hbf)
ab	Zug	an
4.48	ICE 972	11.24
6.52	ICE 976	13.24
8.57	ICE 2781	15.24
10.57	ICE 372	17.24
12.57	ICE 272	19.25
14.57	ICE 276	21.24
16.57	ICE 872	23.24

1   Am Vormittag kommen _stündlich_ 12 bis 18 Besucher.

2   Es gibt _____ _____ eine Jahreskonferenz.

3   _____ _____ gibt es einen Test.

4   Es gibt _____ oder _____ _____ eine Wochenbesprechung.

5   Zwischen 6.10 Uhr und 19.10 Uhr fährt der Bus _____ _____.

6   AntiVir macht _____ _____ ein Update.

7   Der ICE fährt von Freiburg _____ _____ nach Berlin.

B   Glas, Flasche, Beutel, Dose

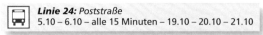

Welche Abbildungen zeigen Dosen, Flaschen, Gläser, Beutel?

Dosen: _10,_ _____

Flaschen: _____

Gläser: _____

Beutel: _____

C Äpfel fehlen.

Setzen Sie ein: ~~fast~~ | zu viel | zu wenig | zu wenig | genug | genug | noch

- Wir haben _fast_ keine Äpfel mehr.
- Zwei. Aber das ist nicht _____.
- Nein, das ist _____.
- Das ist vielleicht _____.

- Wie viele sind denn _____ da?
- Ja, das ist _____. Ich kaufe einen 5-Kilo-Beutel.
- Also gut, ein Kilo. Ist das _____?

D Konsonanten: rechts, beantworten

a) Sprechen Sie nach.

b) 4 oder 5 Konsonanten: Machen Sie eine kleine Pause: Unterricht → Unterrichts Pause stunde

E Satzrad

Oskar hat noch drei Kilo Kartoffeln esse ich gern komme ich am Dienstag haben wir drei Stunden Unterricht finde ich viel Mineralwasser und wenig Bier trinkt Oskar hat

Schreiben Sie die Sätze.

Oskar hat noch drei Kilo Kartoffeln. Kartoffeln _____

_____

F Einkaufen

a) Schreiben Sie einen Einkaufszettel.

Valerie hat morgen Abend Gäste: Oskar, Tamara, Till und Maria. Es gibt Schweineschnitzel mit Reis und Pommes frites. Als Vorspeise gibt es Tomatensuppe und Karottensalat. Als Nachspeise macht Valerie Obstsalat. Sie braucht Äpfel, Apfelsinen und fünf Kiwis. Es gibt Mineralwasser, Bier und Apfelsaft.

Wie viel?	Was?
5	Schweineschnitzel
500 Gramm	_____
1 Beutel (2,5 Kilo)	_____
3 Beutel	_____
2 Kilo	_____
1 Kilo	_____
1 Kilo	_____
5 Stück	_____
2 Flaschen	_____
5 Dosen	_____
3 Flaschen	_____

b) Alex plant. Was braucht/hat/kauft er? Schreiben Sie, was er denkt.

	brauchen	haben	kaufen	
Kartoffeln	7 Kilo	2 _Kilo_	5 _Kilo_	Ich brauche sieben Kilo Kartoffeln. Ich
Milch	3 Liter	2 _____	1 _____	habe noch zwei Kilo. Also kaufe ich
Reis	2 Beutel	1 _____	1 _____	einen Fünf-Kilo-Beutel.
Bier	5 Dosen	0 _____	5 _____	_____
Apfelsaft	2 Flaschen	0 _____	2 _____	_____
Brot	2	0 _____	2 _____	_____
Äpfel	1 Kilo	3 _Äpfel_	1 _____	_____

G   Kreuzworträtsel

Schreiben Sie die Zahlen
in die Felder.

1	2	3	7	7	8
9	19	24	30	~~41~~
51	~~109~~	120	211

(Kreuzworträtsel, handschriftlich eingetragene Buchstaben:)
e
i
n
u   h
n   u
d   n
v   d
i   e
e   r
r   t
z   n
i   e
g   n
    n

AB 28

H   Herr Rebholz braucht den Firmenwagen.

a) Hören Sie und schreiben
Sie die Verben in die Lücken.

geht | sein | habe |
können | können |
wollen | brauchen | haben |
will | ~~hätte~~ | nehmen | brauche | sind

▲ Herr Kantner, ich _hätte_ morgen gern den
Firmenwagen.

■ Herr Rebholz, _____ Sie den Wagen
wirklich?

▲ Ja, Herr Kantner, ich _____ den Wagen.
Ich _____ um zehn Uhr einen
Präsentationstermin in Göttingen.

■ _____ Sie nicht lieber den Zug nehmen?

▲ Das _____ leider nicht.

■ Aber Sie _____ doch den ICE um
7.30 Uhr _____. Dann _____ Sie
um 8.50 Uhr in Göttingen.

▲ Ja, aber ich möchte um 8.30 Uhr bei der
Firma Sanofit _____. Ich _____
dort die Bürola präsentieren.

■ Ach so, dann _____ Sie den Firmenwagen natürlich _____.

b) Schreiben Sie das Gespräch zwischen
Herrn Kantner und Frau Domingo zu Ende.

■ _Frau Domingo, Herr Rebholz hätte morgen_
gern den Firmenwagen.

● _Braucht er_

■ _____
_____
_____

● _____

■ _____

● _____
_____

■ _____
_____

● _____
_____

AB 29

I   Was hören Sie? Kreuzen Sie an.

a)
A Das hat er nicht.
B Das sagt er nicht.
C Das habt ihr nicht.
D Das sagt ihr nicht. *(angekreuzt)*

b)
A Das sagt er nicht.
B Da sagt er nichts.
C Dann sagt er nichts.
D Das sagt ihr nicht.

c)
A Er nimmt keinen Bus.
B Ihr nehmt einen Bus.
C Er nimmt einen Bus.
D Ihr nehmt keinen Bus.

d)
A Das sind vier Herren.
B Da sind wir gern.
C Das sind wir gern.
D Da sind vier Herren.

e)
A Ist da zu viel Arbeit?
B Ist da so viel Arbeit?
C Ist das zu viel Arbeit?
D Ist da sehr viel Arbeit?

f)
A Herr Mann kommt so oft.
B Herrmann kommt zu oft.
C Herr Mann kommt zu oft.
D Herrmann kommt so oft.

J Wie bestellt man das? (Siehe Seite 59, Nr. 8)

a) ▲ Ich habe eine lange Bestellliste. Der Warenwert beträgt 24 380,00 Euro.

● Da können Sie nur __per Brief__ bestellen.

b) ▲ Ich möchte sieben Artikel für 1 680,00 Euro bestellen. Die Sache ist ziemlich eilig.

● Normalerweise bestellen Sie _____, vielleicht auch _____.

c) ▲ Ich brauche ganz dringend 100 Aktenordner.

● Bestellen Sie _____.

d) ▲ Ich brauche etwas Büromaterial. Die Sache ist ziemlich eilig. Es sind nur elf kleine Artikel. Ich glaube, das mache ich telefonisch.

● Nein, tun Sie das bitte nicht. Bestellen Sie _____.

e) ▲ Ich habe noch viele Fragen zu dem Angebot. Ein Brief dauert zu lange. Was kann ich tun?

● Stellen Sie Ihre Fragen _____.

K Bitte noch einmal!

Hören Sie.

a) Herr Rebholz will etwas   A fragen.   B abholen.
                             C bestellen.   D kennenlernen.

b) Was macht Herr Rebholz falsch?

L Was wollen die Leute sagen?

a) Herr Kunstmann sagt: „So einen Schreibtisch kann man überall kaufen." Er will sagen:
A Die Lieferzeit ist sehr kurz.
B Den Schreibtisch gibt es auch in anderen Büro-Geschäften.
C Ich finde den Schreibtisch nicht exklusiv genug.

b) Auf die Frage von Herrn Kunstmann: „Finden Sie den schön?", antwortet Herr Erdinger: „Ja, schön teuer!" Er will sagen:
A Ich finde den Schreibtisch sehr teuer.
B Ich finde den Schreibtisch schön, aber teuer.
C Ich finde den Schreibtisch nicht teuer, aber schön.

c) Herr Kunstmann zeigt den Katalog von Office-Design. Da sagt Frau Garini: „Wir sind hier bei Firma Rhodana GmbH. Das ist kein Museum für moderne Kunst." Sie will sagen:
A Firma Rhodana GmbH möchte bei Office-Design kaufen.
B Die Schreibtische von Office-Design passen nicht zu Firma Rhodana.
C Die Schreibtische von Firma Office-Design sind ziemlich unmodern.

d) Herr Kunstmann zeigt einen Schreibtisch im Katalog von Firma Office-Design. Herr Erdinger fragt: „Was kostet denn das gute Stück?" Er will sagen:
A Der Schreibtisch hat eine gute Qualität.
B Ich glaube, der Preis ist sehr hoch.
C Ein guter Schreibtisch kann einen hohen Preis haben.

M oder, aber, auch, und

a) ● Valerie _____ ich haben am Vormittag _oder_ am Abend Zeit. ■ Ich _____, _____ nur heute.

b) ● Ich esse gern Fisch, _____ nicht täglich. _____ du? ■ Ich _____; Fisch _____ Fleisch, das ist egal.

c) Vera _____ Peter kommen. Ines kommt _____. _____ Petra kommt nicht. _____ kommt sie doch?

Mit dem ICE direkt nach Berlin Mitte

Liebe Christel,
ich komme nach Berlin. Am Montag habe ich einen
Termin bei der Firma Sperling (einem Zulieferer von
Weidrich). Ich komme aber schon am Samstag. Ich
möchte Berlin sehen. Und dich natürlich auch.
Hast du Zeit? Ich nehme den ICE um 8.58 Uhr. Um
13.08 Uhr bin ich in Berlin Hauptbahnhof.

Gruß Edith

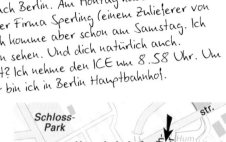

S. 72 A

Das Brandenburger Tor

49 ● Entschuldigung, wie komme ich zum Brandenburger Tor?

▲ Zum Brandenburger Tor? Gehen Sie hier in Richtung Spree und
da über die Brücke. Gehen Sie dort geradeaus. Nehmen Sie die
sechste Straße links. Das ist die Straße des 17. Juni. Gehen Sie
noch ungefähr 300 Meter. Da ist das Brandenburger Tor.

● Danke.

Die Humboldt-Universität

1 **Gehen Sie geradeaus über die Brücke ...**

a) Partnerarbeit:
Lesen Sie den Dialog. Suchen Sie den Weg auf dem Stadtplan.

50 **b)** Hören Sie.

S. 72 B

1 Wer kann Auskunft geben? Die Frau oder der Mann?
2 Was will Edith besichtigen?
3 Überprüfen Sie die Auskunft. Benutzen Sie den Stadtplan.

Der Reichstag

S. 72 C

c) Hören Sie noch einmal und schreiben Sie die fehlenden Wörter in die Lücken.

Gehen Sie hier _____ über die Brücke. Gehen Sie dann gleich _____, die Spree entlang.

Nehmen Sie dann die dritte Straße _____ und dann die _____ Straße _____.

Gehen Sie ungefähr 800 Meter geradeaus. Da sehen Sie _____ die _____. Es ist nicht weit.

d) Es gibt einen anderen Weg. Suchen Sie den Weg auf dem Stadtplan. Beschreiben Sie ihn.

2 Der Reichstag

S. 72 D

a) Partnerarbeit: Fragen Sie, geben Sie Auskunft.

● *Entschuldigung, wo bitte ist ...*
▲ *Geradeaus / Brücke / 2. links / 1. rechts. Da ist ...*
● *Also: Geradeaus ... Danke.*

Gr. S. 71, 1

52
S. 73 E

b) Ist die Beschreibung richtig? Wie heißen die Straßen? Suchen Sie die Namen auf dem Stadtplan.

51 Die Ordnungszahlen

			der/die/das
1	eins	1.	**erste**
2	zwei	2.	zweite
3	drei	3.	**dritte**
4	vier	4.	vierte
5	fünf	5.	_____te
6	sechs	6.	_____
7	sieben	7.	sie**b**te
8	_____	8.	_____
9	_____	_____	_____
10	_____	_____	_____

3 Wie komme ich zu ... ?

a) Schreiben Sie in die Lücken.

Wohin?

der Bahnhof	*zum Bahnhof*
der Supermarkt	_____
der Park	_____
die U-Bahn	*zur U-Bahn*
die Bank	_____
die Post	_____
das Stadion	*zum Stadion*
das Museum	_____
das Krankenhaus	_____

Kunstmuseum U-Bahn ✕ Ⓤ

Stadtpark Bahnhof ✕

✕ Stadion ✕ Bank Schwimmbad

Supermarkt ✕ Krankenhaus ✕

✕ Post

S. 73 F

b) In Partnerarbeit: Fragen Sie, geben Sie Auskunft. Gr. S. 71, 2

● *Entschuldigung, wie komme ich zur Bank?*
▲ *Zur Bank? Gehen Sie hier geradeaus. Dann die zweite Straße rechts. Da ist links die Bank.*

● *Entschuldigung, wo ist das Stadion?*
▲ *Das Stadion? Gehen Sie ...*

4 Vom Flughafen zur Sperling GmbH

S. 73 G

Wie komme ich
● vom Flughafen zur Sperling GmbH?
● von der Sperling GmbH zurück zum Flughafen?

Da gibt es mehrere Möglichkeiten.

Fahren Sie ...
Nehmen Sie ...

die erste/zweite/dritte ...

geradeaus/links/rechts

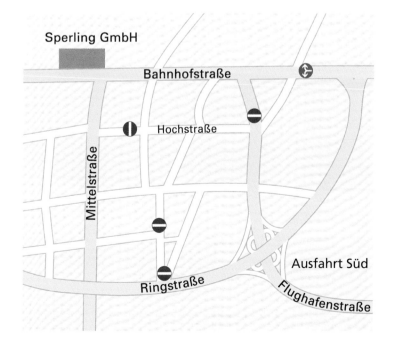

53 ▶ | *Wo ist der Gesprächskreis „Zukunft"?*
| *Ich möchte zum Gesprächskreis „Zukunft".*
■ *Der Gesprächskreis „Zukunft" ist in Raum 3-24.*
Das ist in der dritten Etage.

Heute:
Konferenzraum

Vertriebstraining 0-12
10.00 Uhr

Planungskonferenz 2-10
13.30-19.00 Uhr

Gesprächskreis 3-24
„Zukunft"
8.30 Uhr

5 Mein Name ist … Ich möchte zu …

S. 74 H

In Partnerarbeit: Wo ist das Vertriebstraining,
die Planungskonferenz …? Fragen Sie, geben Sie Auskunft.

54 6 Meier, Maier oder Mayer?

a) Hören Sie und ordnen Sie zu.
1 Herr Maier arbeitet   A im Erdgeschoss.
2 Herr Mayer hat sein Büro B in der dritten Etage.
3 Herr Meier sitzt   C in der vierten Etage.

b) Edith möchte zu <u>Herrn</u>

c) Zuerst geht sie zu _____ .

Er arbeitet in Zimmer _____

Wo ist das? Markieren Sie:

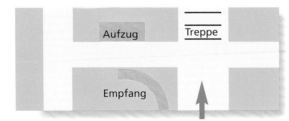

d) Wie kommt Edith zu Zimmer 3-14?
Sie nimmt   den Aufzug.
             die Treppe.

e) Was macht Edith falsch?
Was macht sie richtig?
Was macht die Mitarbeiterin am
Empfang falsch?
Was macht sie richtig?

7 *Wo* oder *wohin*?

S. 74 I

Machen Sie eine Liste.
~~auf der rechten Seite~~ | bei Herrn
Meier | zum Krankenhaus | in die
dritte Etage | ~~Gehen Sie~~
~~da links.~~ | im Erdgeschoss | in der zweiten Etage | zur Planungskonferenz | zu Herrn Meier | ins
Erdgeschoss | in den Bahnhof | bei der Weidrich AG | …

Gr. S. 71, 3

Wo	Wohin
auf der rechten Seite	*Gehen Sie da links.*

8 Bei der Sperling GmbH

Partnerarbeit: Wo ist das Büro / die Abteilung? Wo finden Sie die Person?
Wählen Sie die passende Formulierung.

S. 74 J
S. 74 K
S. 75 L
S. 75 M

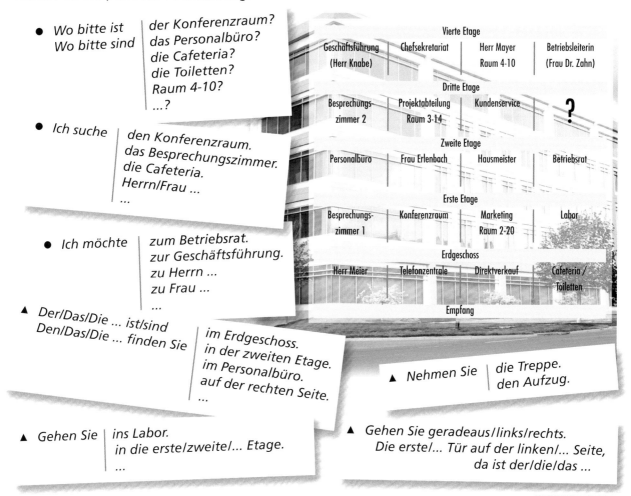

● *Wo bitte ist* | *der Konferenzraum?*
● *Wo bitte sind* | *das Personalbüro?*
die Cafeteria?
die Toiletten?
Raum 4-10?
...?

● *Ich suche* | *den Konferenzraum.*
das Besprechungszimmer.
die Cafeteria.
Herrn/Frau ...
...

● *Ich möchte* | *zum Betriebsrat.*
zur Geschäftsführung.
zu Herrn ...
zu Frau ...
...

▲ *Der/Das/Die ... ist/sind* | *im Erdgeschoss.*
Den/Das/Die ... finden Sie | *in der zweiten Etage.*
im Personalbüro.
auf der rechten Seite.
...

▲ *Nehmen Sie* | *die Treppe.*
den Aufzug.

▲ *Gehen Sie* | *ins Labor.*
in die erste/zweite/... Etage.
...

▲ *Gehen Sie geradeaus/links/rechts.*
Die erste/... Tür auf der linken/... Seite,
da ist der/die/das ...

Bildbeschriftung:
Vierte Etage — Geschäftsführung (Herr Knabe) | Chefsekretariat | Herr Mayer Raum 4-10 | Betriebsleiterin (Frau Dr. Zahn)
Dritte Etage — Besprechungszimmer 2 | Projektabteilung Raum 3-14 | Kundenservice | ?
Zweite Etage — Personalbüro | Frau Erlenbach | Hausmeister | Betriebsrat
Erste Etage — Besprechungszimmer 1 | Konferenzraum | Marketing Raum 2-20 | Labor
Erdgeschoss — Herr Meier | Telefonzentrale | Direktverkauf | Cafeteria / Toiletten
Empfang

Gr. S. 71, 4

9 *da:* Anwesenheit – Zeitpunkt – Ort

S. 75 N

a) Schreiben Sie den Text neu. Benutzen Sie *da*.

Edith Lavalle fährt um 10.00 Uhr zur Firma Sperling. Bei Sperling hat sie einen Termin. Um 10.03 Uhr ist sie bei der Firma Sperling. Die Mitarbeiterin am Empfang schickt sie in den Raum 0-26. In dem Raum arbeitet Herr Meier. Er ist im Zimmer 0-26. Um 10.05 Uhr ist ein Besucher bei der Firma Sperling. Er möchte auch zu Herrn Meier. Aber um 10.05 Uhr ist Edith schon bei Herrn Meier. Was ist passiert?

b) Was bedeutet *da*? Schreiben Sie den Text neu.

Christel erwartet Edith um 14.00 Uhr am Reichstag. Aber Edith ist nicht da. Sie wartet an der Universität. Aber da ist Christel nicht. Edith wartet bis 14.30 Uhr. Da kommt Christel. Sie gehen in ein Café. Da trinken sie etwas. Sie bleiben bis 16.00 Uhr da. Da kommt ein Anruf. Christel sagt: „Ich muss ins Büro. Da gibt es ein Problem." Sie fährt schnell ins Büro. Die Kollegen sind auch schon da.

10 Ihr Weg ...

S. 75 O

Sprechen Sie, schreiben Sie.

zur Arbeit	zum Sprachkurszentrum
zum Büro von ...	zum Arbeitsplatz
ins Kino	zum Unterrichtsraum
zur Bushaltestelle	...

Zum Büro von Herrn Zielke? Ich nehme die Treppe. Ich gehe in die 1. Etage. Da gehe ich links. Das dritte Zimmer auf der rechten Seite ist das Büro von Herrn Zielke.

11 Wo bist du?

Hören Sie und suchen Sie auf dem Spielplan:
Wo ist Christel, wo ist Edith?
Wohin wollen sie?

Bitte ausschneiden

12 Spielen Sie.

❶ Christel sucht Edith. –
Ich suche Pablo. –
Wir suchen ...

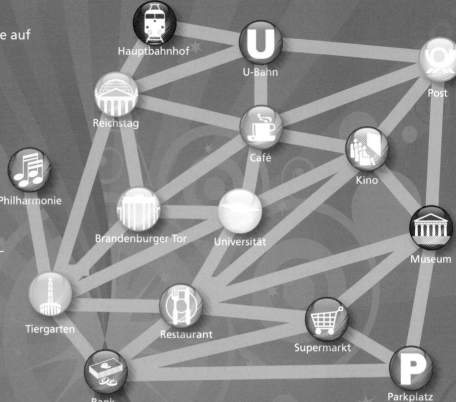

S. 75 P

❷ Sie suchen den Chef.   Beispiel: *Ich bin auf dem Besucherparkplatz und höre: Der Chef ist im Labor. Ich gehe zum Kundenzentrum. Aber der Chef geht zum Sportplatz. Ich gehe zur Kantine. Da geht der Chef zum Marketing. Ich gehe auch zum Marketing. Da ist der Chef.*

- ● *Ich bin auf dem Besucher-Parkplatz.*
- ▲ *Der Chef ist im Labor.*
- ● *Ich ...*
- ▲ *Der Chef ...*

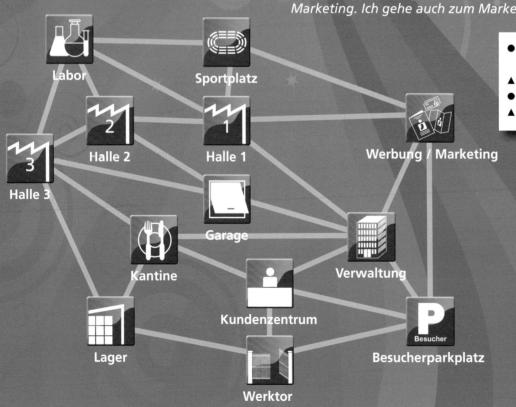

1 Die Ordnungszahlen 1 – 19

der	**erste**	fünfte	neunte	dreizehnte	sie**bz**ehnte
das	zweite	sechste	zehnte	vierzehnte	achtzehnte
die	**dritte**	sie**bte**	elfte	fünfzehnte	neunzehnte
	vierte	ach**te**	zwölfte	se**chz**ehnte	

2 Satzbau

	1	**Verb**	**...**
Aussage	Ich	möchte	zum Reichstag.
W-Fragen	Wie	komme	ich zum Reichstag?
Ja-/Nein-Frage	Ist		es weit zum Reichstag?
Aufforderung (Imperativ)		Gehen	Sie hier geradeaus.
		Nehmen	Sie die erste Straße rechts.

3 Wo (Dativ)

◉ in / auf

der	**im** Konferenzraum/Supermarkt/...
	auf dem Parkplatz/Schreibtisch/...
das	**im** Museum/Stadion/Erdgeschoss/...
die	**in der** Telefonzentrale/Bahnhofstraße/...
	auf der linken Seite/Brücke/...

☐◉ an

am Empfang/Parkplatz/Bahnhof/...

am Stadion/Brandenburger Tor/...

an der Rezeption/U-Bahn-Station/Universität/...

Wohin

●▸◉ in (Akkusativ)

der	**in den** Supermarkt/Bahnhof/...
	auf den Parkplatz/Schreibtisch/...
das	**ins** Museum/Stadion/Erdgeschoss/...
die	**in die** Telefonzentrale/Bahnhofstraße/...
	auf die linke Seite/Brücke/...

●▸●☐ zu (Dativ)

zum Empfang/Parkplatz/Bahnhof/...

zum Stadion/Brandenburger Tor/...

zur Rezeption/U-Bahn-Station/Universität/...

Akkusativ	**über die** Brücke, **die** Spree **entlang**
Dativ	**vor dem** Café, **bei der** Sperling GmbH, **bei** Herrn Maier

4 der/das/die erste, linke, ...

	Nominativ			Dativ			Akkusativ		
Maskulinum	der	erste	Raum	im	erst**en**	Raum	in den	zweit**en**	Raum
Neutrum	das	zweite	Haus	im	dritt**en**	Zimmer	ins	dritte	Büro
Femininum	die	rechte	Tür	auf der	link**en**	Seite	auf die	rechte	Seite

Wichtige Wörter und Wendungen

Wegbeschreibung

| Frage: | Entschuldigung, | wie komme ich zu ...? |
| | | wo bitte ist ...? |

Auskunft:
- Gehen/Fahren Sie geradeaus/links/rechts/in Richtung ...
- Gehen Sie in die erste/zweite ... Etage/ins Erdgeschoss.
- Nehmen Sie die erste/zweite/... Straße/Tür/...

links
rechts
geradeaus

da	**Zeitpunkt**	**Am Montag** habe ich einen Termin. **Da** geht es nicht.
	Anwesenheit	Edith wartet **am U-Bahnhof**. Aber Christel ist nicht **da**.
	Ort	Gehen Sie in die **Bahnhofstraße. Da** ist die Weidrich AG.

A   Was sagt Christel zu Paolo? Schreiben Sie.

Liebe Christel,
ich komme nach Berlin. Am Mon-
tag habe ich einen Termin bei der
Firma Sperling (einem Zulieferer
von Weidrich). Ich komme aber
schon am Samstag. Ich möchte
Berlin sehen. Und dich natürlich
auch. Ich nehme den ICE um
8.58 Uhr. Um 13.08 Uhr bin
ich in Berlin Hauptbahnhof.

Gruß Edith

a) Christel sagt zu Paolo:

Paolo, Edith schreibt, sie kommt nach _____

_____

_____

_____

_____

_____

b) Eine Kollegin fragt, Christel antwortet. Schreiben Sie Fragen und Antworten.

1 ● Wer kommt nach Berlin?   ▲ *Edith kommt nach Berlin.*

2 ● Wann kommt sie nach Berlin?   ▲ _____

3 ● _____? ▲ Da hat sie einen Termin.

4 ● Wann hat sie einen Termin?   ▲ _____

5 ● _____? ▲ Bei der Firma Sperling.

6 ● _____? ▲ Sie nimmt den ICE.

7 ● Wann ist sie in Berlin?   ▲ *Um* _____

8 ● Was möchte sie am Wochenende machen?   ▲ _____

B   Beschreiben Sie den Weg. Benutzen Sie die passenden Wörter.

a) zum Museum
b) zur Universität

links | rechts | geradeaus | über die Brücke
| die erste / zweite / dritte Straße

Sie sind hier   *Brücke*   *Museum*   *Universität*

C   ungefähr – genau

1 Das kostet _genau_ 8,79 Euro, also _ungefähr_ 9,00 Euro.

2 Von Frankfurt nach Berlin sind es _____ 550 Kilometer. Vom Hauptbahnhof Frankfurt

   bis Berlin Mitte sind es _____ 562 Kilometer.

3 ● Ich glaube, zum Flugpreis kommen noch _____ 50 Euro Gebühren.

   ▲ Ja, _____ 53,27 Euro.

4 ● Wie lange dauert die Fahrt? _____ vier Stunden?

   ▲ Die Fahrzeit beträgt _____ 3 Stunden und 35 Minuten.

D   Aussprache: chts, nks, dtpl, ptb ...

a) Sprechen Sie langsam und deutlich.

rechts	re-ch-t-s	Hauptbahnhof	Hau-p-t-b-ahn-h-of
links	li-nk-s	die Spree entlang	die S-p-r-ee en-t-l-ang
Straße	S-t-raße	Entschuldigung	En-t-sch-uldigung
Stadtplan	Sta-dt-p-l-an	Auskunft	Au-s-k-un-f- t

AB 31   **b)** Sprechen Sie nach.

E Schreiben Sie: der/das/die wievielte ...?

1 2 3 4 5 6 7 8 9 10 11 12 13 14 15 16 17 18

a) Welche Haltestelle? ⒣ *Der erste Punkt ist die erste Haltestelle. Der dritte Punkt ist ...*

b) Welcher Mitarbeiter? *Der vierte Punkt ist der ...*

c) Welches Haus? *Der zweite Punkt ist das ...*

F **Wegbeschreibung**

a) Ordnen Sie den Dialog.

1	A Da ist das Brandenburger Tor.
2	B Danke.
3	C Gehen Sie geradeaus über die Brücke.
4	D Ist das weit?
5	E Entschuldigung.
6	F Nehmen Sie dann die sechste Straße links.
7	G Nein, es ist nur ungefähr ein Kilometer.
8	H Wie komme ich zum Brandenburger Tor?

b) Schreiben Sie die Sätze in die Tabelle.

1	Verb	...
Entschuldigung. Wie		
	Gehen	
Nein,		
Danke		

G **Vom Reichstag zur Universität**

a) Korrigieren Sie die Auskunft.

Gehen Sie hier geradeaus. Nehmen Sie die zweite Straße links und dann die dritte Straße rechts. Das ist die Luisenstraße. Gehen Sie die Luisenstraße 200 Meter geradeaus. Nehmen Sie die erste Straße links. Das ist die Straße Unter den Linden. Gehen Sie da geradeaus bis zur vierten Straße. Da ist rechts die Universität.

Sprechen oder schreiben Sie so:

Die Auskunft „zweite Straße links" ist falsch. Richtig ist: Nehmen Sie die erste Straße links. ...

b) Es gibt noch zwei Möglichkeiten. Beschreiben Sie die Wege.

● Ebertstraße – Brandenburger Tor – Pariser Platz – Unter den Linden
● Dorotheenstraße – Friedrichstraße – Unter den Linden

Termine, Termine, Termine

> **Wo bleibst du? Es ist schon Viertel nach sieben.**

> **Tut mir leid. Ich kann frühestens um zehn nach acht da sein.**

56
- Wo bleibst du denn? Es ist schon spät!
- ▲ Wie spät ist es denn?
- Es ist schon halb acht. Das Konzert beginnt um acht.
- ▲ Tut mir leid. Ich bin in zehn Minuten da.

S. 82 A

in fünf Minuten
in zehn Minuten
in einer viertel Stunde
in einer halben Stunde
in einer Stunde
in zwei Stunden
...

1 Wann können Sie kommen?

Wie spät ist es? Wann beginnt der Film, die Oper ... ?
Wann können Sie kommen?

der Film	das Theater
die Oper	die Show
das Konzert	das Gespräch
der Vortrag	...

57 ## 2 Ich kann noch nicht weg.

a) Hören Sie. Was planen Nina und Urs heute Abend? Warum telefoniert Nina mit Urs?

S. 82 B
S. 82 C
S. 82 D

b) Schreiben Sie die Uhrzeiten in die Lücken.

1 Es ist jetzt _____.

2 Der Film beginnt um _____.

3 Urs muss noch _____ im Labor arbeiten.

4 Urs kann erst um _____ weg.

5 Dann sind sie frühestens um _____ am Kino.

6 Urs trifft Nina spätestens in _____.

- kurz nach sieben
- Viertel nach sieben
- halb acht
- fünf nach halb acht
- acht
- zehn nach acht
- Viertel nach acht
- zwanzig vor neun

halb eins / viertel vor eins / fünf nach eins / ...

c) Was kann/will/muss Nina? Was kann/will sie nicht?
Was kann/will/muss Urs? Was kann/will er nicht?

Nina kann morgen nicht ins Kino.
Sie will früh ins Bett gehen. Urs kann ...

Gr. S. 81, 1

3 Partnerarbeit: Wann kannst du?

S. 82 E
S. 83 F
S. 83 G

▲ *Wann hast du Zeit für die Testvorbereitung?*
● *Ich kann schon um Viertel nach zehn. Und wann kannst du?*
▲ *Ich kann um fünf nach halb elf. Ich muss vorher noch zur Post. Und wann kann Nina?*
● *Nina sagt, sie kann erst um elf. Sie muss vorher noch zum Chef.*
▲ *Also dann um elf.*

Gr. S. 81, 2

Zeit für ...	vorher ...
die Testvorbereitung	zum Chef
den Spaziergang	ins Labor
das Gespräch	zur Post
die Hausaufgaben	zum Arzt
die Besprechung	in die Bibliothek
den Besuch	zum Kurs
das Mittagessen	...
...	

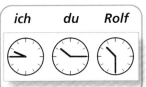 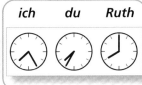 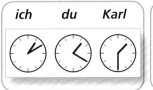 

4 Eine SMS von Nina

a) Informieren Sie die anderen Spieler.

b) Schreiben Sie eine E-Mail an Nina:
  ● 6.45 Uhr geht nicht.
  ● Morgen, 6.00 Uhr?

```
Tennis
heute erst
6.45 >:-(
Arzttermin!
```

S. 83 H

5 Tagesplan

Planen Sie den Tag.
Diskutieren Sie zu dritt.

zusammen frühstücken | einkaufen | lernen | ins Kino gehen | einen Test haben | üben | Hausaufgaben machen | spazieren gehen | Mittagspause machen | Tennis spielen | Abendessen machen | schwimmen gehen | Unterricht haben | Einladungen schreiben | ...

● *Frühstücken wir um halb neun zusammen?*
▲ *Um halb neun geht es nicht. Da habe ich Unterricht.*
● *Und wann kannst du?*
▲ *Um acht geht es.*
● *Und du? Wann kannst du?*
■ *Ich kann auch um acht.*
● *Gut, also um acht. Das notiere ich.*

23 Fr	J u n i
8.00	
8.30	Unterricht
9.00	
9.30	
10.00	
10.30	
11.00	
11.30	
12.00	
12.30	
13.00	
13.30	
14.00	
14.30	
15.00	
15.30	
16.00	
16.30	
17.00	
17.30	

Die Reise nach ....
Den Besuch in ...
Das Gespräch mit ...

| können wir
| kann man
| muss man

verschieben.
absagen.
delegieren.

Den Termin bei ...

| kann ein Kollege übernehmen.
| müssen Sie einhalten.

Kalenderwoche 17, 20.–26. Mai

(Mo) Dienstreise nach Graz; Wäggeli AG/Chur; Abend: Geburtstag Chef
(Di) Servicearbeiten, 12.00–16.00 Abteilungskonf., Angebote schreiben
(Mi) Betr.besichtigung leiten, Mittagessen; 14.00–20.00 Servicearbeiten
(Do) Wartung Anlage Firma Knoll, 13.00: Gespräch Abt.ltg., 13.15 Arzt!
(Fr) bis 10.30 Gespr. b. ASTA GmbH; 11.30 Abflug Wien, 13.15 Brüssel
(Sa) Rückflug von Brüssel (14.10 Uhr), Büro, Post erledigen
(So) Vorbereitung Testläufe KW 25

6 **Die 7-Tage-Woche von Herrn Kehl**

S. 84 I   Welchen Termin muss man einhalten? Was kann man verschieben, absagen, delegieren?

7 **Der Auftrag von Firma Knoll**

S. 84 J   **a)** Wie ist die Reihenfolge? Nummerieren Sie die Nachrichten.

von: Kehl
Datum: Mittwoch, 09.06., 15:42
an: Maier
Betreff: Auftrag Knoll

Herr Maier,

wir haben zurzeit viel Arbeit. Am Freitag
müssen die Kundendienst-Leute zum Training
für Servicepersonal nach Leipzig. Da muss ich
auch einen Wartungsauftrag erledigen. Aber
dann kann ich den Auftrag Knoll bearbeiten.
Spätestens in KW 25 können wir das Gerät
abschicken. (Das Training in Leipzig muss ich
nicht jetzt besuchen. Das geht auch im
September.)

Gruß Kehl

*Frau Kunz ist krank. Teilnahme
Leipzig absagen?
Gruß Kehl / 10.06.*

Telefonnotiz ☎

Datum: 09.06.
Anrufer: Maier, Abteilungsleitung

*Was ist los mit dem Auftrag
Knoll? Der Kunde wartet schon
zwei Wochen. Er braucht das
Gerät dringend. Bitte schnell
antworten!*

Knoll hat
Priorität.
Vorschlag:
Frau Kunz
übernimmt
den Auftrag.

b) Welches Datum haben die Telefonnotiz und die Mail-Antwort?
c) An welchem Datum müssen Herr Kehl und die Kundendienst-Mitarbeiter nach Leipzig?
d) Was schlägt Herr Kehl vor? Wann will er das Gerät abschicken?
e) Wie kann man das Problem lösen? Was muss man dazu verschieben, absagen oder delegieren?

8 Herr Maier löst das Problem.

Hören Sie und schreiben Sie die Datumsangaben in die Lücken.

1 Heute ist Mittwoch, der ____9. Juni____.

2 Herr Kehl meint: Er kann den Auftrag auf KW 25, also auf den _____ verschieben.

3 Herr Maier sagt: Wir müssen spätestens am _____ liefern.

4 Herr Kehl kann das Training vom _____ bis zum _____ absagen.

5 Den Wartungsauftrag am _____ muss der Servicepartner übernehmen.

6 Ab Donnerstag, dem _____, kann Herr Peters mitarbeiten.

7 Frau Kunz ist bis zum _____ krank. Sie kann ab dem _____ helfen.

9 Partnerarbeit: Können Sie am ...

die Besucher empfangen?

Gr. S. 81, 2

Gr. S. 81, 3

helfen?

ins Büro kommen?

nach Brüssel fahren?

das Vertriebstraining vorbereiten?

Frau Kunz begrüßen?

die Angebote schreiben?

die Dienstreise von Herrn Kehl übernehmen?

Heute ist der

erste	Januar
zweite	Februar
dritte	März
...te	...
neunzehnte	
zwanzigste	
einundzwanzigste	
dreißigste	
...ste	

▲ Können Sie am ersten Februar helfen?
● Ja, am ersten Februar geht es.

▲ Können Sie am zwölften März nach Brüssel fahren?
● Nein, der zwölfte März passt nicht. Da muss ich eine Konferenz besuchen.

zum Training nach Leipzig | eine Konferenz besuchen |
den Wartungsauftrag erledigen | zur Messe fahren |
den Testlauf organisieren | im Labor arbeiten | ...

Datum:

der einunddreißig**ste** Dezember
am einunddreißig**sten** Dezember

10 Der Auftrag Firma Knoll

Schreiben Sie die Daten und Informationen in die Zeitleiste. Tragen Sie den Geschäftsfall vor.

Lieferung (Planung Kehl)

26 27 ...	7 8 9	10 11	12 13	14 15	16 17	18 19 20	21	22 23 24
KW 21 ... KW 22 ...		KW 23			KW 24			KW 25

11   Mittwoch, 25. November: Regen, Stau, Verspätung ...

Welche Nachricht ist die erste, die zweite, die dritte, ..
Nummerieren Sie die Texte.

Telefonnotiz   AGME

Anruf von: Herrn Günther, Fada AG
für: Haller, Technik
am: Mittwoch, 25.11.
um: 9.50 Uhr
Betr.:   Termin 10.00

Herr G. steht auf der Autobahn im
Stau. Kann nicht wie vereinbart
um 10.00 hier sein. Kommt
wahrscheinlich gegen 12.00.

Meisel, Sekretariat

25 Mi   **N o v**

8.00
9.00
10.00 | Haller, AGME
11.00 |
12.00 |
13.00
14.00 | Dahm, Protex
15.00 | Wismar

Danke für
Ihre Info.
Ich kann erst
um 15.00 Uhr.
Ist das o.k.?
Haller, AGME

1   2 ABC   3 DEF

von: Dahm, Protex KG
Datum: 25. November, 13.12
an: info@hotel-am-markt.de
Betreff: Zimmerreservierung

Liebe Frau Huppertz,

ich brauche ein Einzelzimmer für einen
Geschäftspartner heute Abend.
Herr Günther kommt gegen 21.00 Uhr
und bleibt eine Nacht. Das geht doch in
Ordnung, oder?

Gruß – Hermine Dahm

Irene, ich
komme heute
nicht nach
Hause. Muss
in Wismar
bleiben. Kann
also nicht

mit zum
Abendessen
bei Gührings.
'Tschuldigung.
Anruf später
– Hans

Hallo Christine,
ich komme gerade vorbei, aber
Du bist nicht zu Hause.
Hans kann heute nicht zum
Abendessen bei Euch kommen.
Er hat noch einen Termin in
Wismar und kommt erst
morgen nach Hause. Aber ich
komme gern. Oder wollt Ihr
das Essen verschieben?
Ich rufe an.
Gruß – Irene

TELEFAX   **FADA₁AG**

Von: Günther, Kundenservice
An: Herrn Haller,
         AGME GmbH, Technik
Fax: 0381-57780-31
Datum: 18.11.

Sehr geehrter Herr Haller,

ich bestätige den Termin bei Ihnen in
Rostock am kommenden Mittwoch,
25. 11., 10.00 Uhr, wie telefonisch
vereinbart. Ich bin pünktlich bei Ihnen.
Ich freue mich auf das Gespräch.

Mit freundlichen Grüßen

Hans Günther

Günther
Fada AG, Niederlassung Nord

● Hermine Dahm, Protex KG. Guten Tag.
■ Tag, Frau Dahm, Günther hier, Fada AG.
  Wir haben doch einen Termin heute Nachmittag.
  Das klappt nicht. Ich kann frühestens um sechs
  in Wismar sein. Ich glaube, wir müssen unser
  Treffen auf nächste Woche verschieben.
● Das geht nicht, Herr Günther. Da habe ich
  Urlaub. Die Sache ist wichtig. Ich warte auf Sie.
■ Danke für Ihr Verständnis. Können Sie mir in
  Wismar ein Hotel empfehlen?
● Ich kann ein Zimmer für Sie reservieren.
  Möchten Sie das?
■ Ja gern. Können Sie das übernehmen?

 12   Grüß dich, Christine!

Hören Sie. Ist der Bericht in Ordnung? Finden Sie die Kritik an der Planung richtig?
Was vereinbaren Irene Günther und Christiane Gühring?

1 Wie viel Uhr ist es?

 ein Uhr

zehn Uhr fünfzehn

elf Uhr dreißig

vierzehn Uhr elf

Wie spät ist es?

 eins

 halb zwei

 Viertel vor acht

 acht

 fünf nach acht

 zwanzig nach acht

 fünf vor halb neun

zwanzig vor neun

2 Das Verb *müssen*

Konjugation

ich	muss	...–
du	musst	...t
Sie	müssen	...en
er/sie	muss	...–
wir	müssen	...en
ihr	müsst	...t
Sie	müssen	...en
sie	müssen	...en

im Satz

1	Verb 1	...		Verb 2
Vollverb:				
Ich	muss	dringend ins Büro.		
	Müsst	ihr morgen nach Brüssel?		
Modalverb:				
Herr Kehl	muss	den Termin		absagen.
Er	muss	dringend einen Besuch		machen.
Sie	müssen	noch einige Tage		warten.

3 Das Datum

	1–19			20–31			**Wann? (Dativ)**	
der	**erste**	Januar		zwanzig**ste**	Mai		am erst**en**	September
	zweite	Februar		einundzwanzig**ste**	Juni		am zweit**en**	Oktober
	dritte	März		zweiundzwanzig**ste**	Juli		am ...	November
	vierte	April		dreiundzwanzig**ste**	August		am zehnt**en**	Dezember
	...	...		...	...		am elft**en**	...
	zehnte			dreißig**ste**				
	...			einunddreißig**ste**			am zwanzigst**en**	
	neunzehnte						am einunddreißigst**en**	

Wochentage

Heute ist	Montag
Morgen ist	Dienstag
Übermorgen ist	Mittwoch
	Donnerstag
am	Freitag
bis	Samstag
	Sonntag

Kalenderwoche

die erste, zweite, ... fünfundzwanzigste Kalenderwoche
in der ersten, zweiten, ... fünfundzwanzigsten Kalenderwoche

KW eins, zwei, ... fünfundzwanzig
in KW eins, zwei, ... fünfundzwanzig

Wann?

vor – nach	Der Zug fährt um zehn **vor** zehn. **Vor** Dienstag üben wir das noch. Ich komme um zehn **nach** acht. **Nach** 20.00 Uhr ist die Tür geschlossen.
in ... (Zukunft)	**In** fünf Minuten / einer halben Stunde / drei Tagen, **im** nächsten Jahr
schon – erst	Geht es **schon** morgen? – Nein, **erst** übermorgen. Kannst du **schon** um 11.00 Uhr kommen? – Nein, **erst** um zwölf.
spätestens **frühestens**	Die Besprechung beginnt **spätestens** um 8.15 Uhr. – Was, schon so früh? Sie ist **frühestens** um 14.00 Uhr zu Ende. – Was, erst um zwei?

A *Wann ...? – In ...* Schreiben Sie Sätze wie im Beispiel.

Film: Es ist 19.30 Uhr   Beginn: um 20.00 Uhr   *Der Film beginnt in einer halben Stunde.*
         Es ist 20.00 Uhr   Ende: um 22.00 Uhr   *Der Film ist in zwei Stunden zu Ende.*

Pause: Es ist 9.20 Uhr   Beginn: um 9.30 Uhr   _____
         Es ist 9.30 Uhr   Ende: um 9.45 Uhr   _____

Reise: Es ist 8.17 Uhr   Beginn: um 9.27 Uhr   _____
         Es ist 13.15 Uhr   Ende: um 14.15 Uhr   _____

_____

B Wann ist das?

12:00	*Um zwölf.* ___	09:35	___	18:20	___
07:30	___	00:30	___	18:25	___
14:40	___	13:00	___	16:05	___
19:15	___	03:50	___	12:45	___

C Hören und sprechen

AB 34
AB 35

a) „Achtung, auf Gleis 5 fährt der ICE nach   b) ● *Die Ankunft ist um zehn Uhr*
   Zürich ein, planmäßige Ankunft 10.45 Uhr."   *fünfundvierzig.*
   ● *Wann kommt der ICE an?*   ▲ *Also um Viertel vor elf.*
   ▲ *Um zehn Uhr fünfundvierzig.*

D *frühestens – spätestens*

1 Ich stehe im Stau. Ich bin also _frühestens_ um zehn da, aber _____ um elf.

2 Ich komme gegen eins. – Geht es nicht um zwölf? – Nein, es geht _____ um halb eins.

3 Frau Thomas möchte heute noch nach Bern fahren. Die Besprechung muss also _____
   um 15.00 Uhr zu Ende sein.

4 Urs muss noch einen Bericht schreiben. Er kann also _____ um halb neun im Café sein.
   Nina wartet bis _____ Viertel vor neun.

5 Wann können wir morgen beginnen? – _____ um neun, _____ um acht.

E Aussprache: *sp/st – wie sch oder wie ss?*

a) Schreiben Sie die Wörter in die Tabelle.

~~Restaurant~~ | ~~Beispiel~~ | Obst | Spaß | Nachspeise | frühestens | sprechen | bestellen |
kosten | spätestens | Sport | er isst | Mittagspause | Haltestelle | Prospekt | Gespräch |
dienstlich | Kursliste | Student | Unterrichtsstunde | Samstag

„sch" wie in *Frühstück*	„s" wie in *erst*
Beispiel	Restaurant

b) Sprechen Sie die Wörter langsam und deutlich.

F *schon – erst*: Schreiben Sie wie im Beispiel.

Busfahrplan Linie 12 Richtung Babenhausen		
Mo-Fr	**Sa**	**So**
6.15	7.30	8.00
6.30	8.30	9.00
6.45	9.00	10.30
7.00	9.30	12.45
23.45	20.00	18.00
00.20	21.15	19.30

1 Wann fährt der erste Bus Richtung Babenhausen?

 Montags bis freitags schon um Viertel nach sechs,
 aber samstags erst um halb acht und sonntags
 erst um acht.

2 Und wann fährt der nächste Bus?

 Montags bis freitags schon _____

 _____

 _____

3 Und wann fährt der dritte Bus am Wochenende?

 Samstags _____ *, aber sonntags* _____

4 Und wann fährt der letzte Bus?

 Montags bis freitags _____

 _____

 _____

G *können, müssen*

● Claudia, __*kannst*__ du morgen zur Besprechung kommen?

▲ Ja, ich _____ morgen von zehn bis zwölf.

● Und du, Nina, _____ du da auch?

■ Um zehn _____ ich zum Arzt. Ich _____ also ungefähr um elf.

● Dann haben wir bis zwölf nur eine Stunde. _____ du morgen zum Arzt? _____ du nicht übermorgen zum Arzt gehen?

■ Nein, da _____ ich nicht. Übermorgen _____ ich nach München. Ich glaube, Konrad _____ morgen auch nicht kommen. Er _____ die Seminarvorbereitung machen.

● Also, dann _____ ich einen neuen Termin für die Besprechung finden. Geht es nächste Woche?

▲ Ja, nächste Woche Montag geht es gut. Am Montag _____ ich, da _____ du und Konrad _____ auch.

H Wie ist die Reihenfolge? Ordnen Sie die Sätze.

Gut, also nach Feierabend. Und dann können wir noch ins Kino gehen. Geht das?

Nein, da ist die Mittagspause schon zu Ende. Aber um halb sechs kann ich.

Wann beginnt denn der Film?   Von zwölf bis halb eins.

Um zwölf kann ich nicht. Da muss ich einkaufen.   Um Viertel vor acht.

1 Gehen wir heute Mittag eine halbe Stunde spazieren?   Geht es um halb eins?

Das ist ja nicht so spät. Da kann ich.   Wann denn genau?

I **Was kann/muss/möchte Herr Kehl machen?**

Ergänzen Sie die Sätze unten.

absagen | einhalten | delegieren |
verschieben | übernehmen

Di	Angebote → Frau Kunz
Mi	Servicearbeiten 18.00-20.00 → Do, 7.00
Do	Auftrag Köhler 7.00 → 9.30, 14.00 Arzt
Fr	~~Gespräch bei ASTA~~
Sa	
So	~~Testvorbereitung~~

1 Die Angebote kann Herr Kehl

_____. Die muss

Frau Kunz _____.

2 Die Servicearbeiten von 18.00 – 20.00 kann er auf Donnerstag _verschieben._

3 Also muss er am Donnerstag den Auftrag Köhler _____.

4 Den Arzttermin _____.

5 Das Gespräch bei ASTA _____.

6 Die Testvorbereitung möchte _____.

J **Vorschläge – Aufträge**

a) Welche Wörter passen zu den drei Notizen?

einhalten | absagen | ~~delegieren~~ | verschieben | übernehmen

1 Herr Peters,	2 Herr Maier,	3 Zum Seminar am Montag kann ich nicht
für die Wartungsarbeiten bei S&L	wir können den Auftrag Knoll nicht bis	kommen (Termin in Berlin) – tut mir leid.
brauchen wir noch einen Servicemann.	KW 24 erledigen. Er ist erst in KW 26	Aber zur Besprechung am Mittwoch bin ich
Können Sie das machen? – Maier	fertig. – Kehl	wieder da. Edith Lavalle

delegieren, _____   _____   _____

b) Antworten Sie. Was ...

1 ... möchte Herr Maier machen?   _Er möchte die Wartungsarbeiten bei S&L delegieren._

2 ... kann vielleicht Herr Peters machen?   _Er_ _____

3 ... muss Herr Kehl machen?   _Er_ _____

4 ... muss Edith Lavalle machen?   _Sie_ _____

5 ... kann Edith am Mittwoch machen?   _____ _den Besprechungstermin_ _____

  K **Hören und sprechen**

● _Den Termin einhalten? Das geht nicht._
▲ _Doch, wir müssen den Termin einhalten._

L **Aussprache: Umlaute (ä, ö, ü) – lang und kurz**

a) Lesen Sie die Wörter laut und deutlich und markieren Sie kurze und lange Umlaute wie im Beispiel.

hätte – Gerät	wöchentlich oder täglich?	über die Brücke
Österreich – Köln	Büro – Lücke	Sören Bläser
Käse und Äpfel	spätestens – Getränke	frühestens – fünfzehn
müssen – über	fünf Übungen	können – lösen
fünfhundert Gramm Gemüse	Türen – Zürich	zwölfmal oder fünfmal?

b) Hören und nachsprechen

M Die nächste Woche. Was plant Frau Thomas? Was muss sie machen?

18 Mo Juli	19 Di Juli	20 Mi Juli	21 Do Juli	22 Fr Juli	23 Sa Juli
8.30 Wochenbespr.	8	8	8	8	8.30 Tennis
9	9.20 Zürich	9	9	9	9
10	10	10	10	10 Bericht schr.	10 einkaufen
11	11	11	11	11	11
12	12	12.15 Anruf S&L	12	12	12
13 Urs/Essen	13	13	13.15 Konferenz	13	13
14	14	14	14	14	14
15 Post erledigen	15.25 Abfahrt Zür.	15	15	15	15 ⎫ Kaffee
16	16	16	16.20 Arzt	16	16 ⎭ m. Rita
17	17	17	17	17	17
18	18	18	18	18 Englischkurs	18
19	19	19 Besuch Rita	19	19	19.45 Theater

Schreiben Sie Sätze wie im Beispiel.

Am achtzehnten Juli muss sie um halb neun zur Wochenbesprechung. Um ...

Am neunzehnten Juli möchte sie

...

N Hören und sprechen: Nein, am nächsten Tag.

● *Machen wir das am neunten?*
▲ *Nein, am zehnten.*

O Kennen Sie die Wörter?

1 Am Abend und Wochenende machen wir oft einen ...
2 Sind Sie Ingenieur von ...?
3 Ich möchte nicht ins Kino, ich gehe lieber ins ...
4 Wir gehen ins ... und sehen einen Film.
5 Zum ... gibt es Schnitzel und Reis.
6 Mittwoch, ..., Freitag
1 Welches ... ist heute? – Montag, der 12. Juli
2 Wir gehen ins Kino und sehen einen ...
3 drei, vier, fünf, ...
4 Müsst ihr nach dem Kurs viele ... machen?
5 Nach Rom? Ist das eine Dienst...
   oder fährst du privat?
6 Heute gibt es ein ... Das möchte ich hören.
7 August, September, Oktober, ..., Dezember

5 H I T T A G E S S E N

Was nehmen wir? Was kaufen wir? Was buchen wir?

die Krawatte

der Rock

die Bluse

der Anzug

der Pullover

das Hemd

der Schal

der Hut

die Hose

die Jacke

das Sakko

der Schuh

der Mantel

der Blazer

weiß	grau	schwarz
rot	violett	blau
gelb	orange	rot
blau	grün	gelb
rot	braun	grün

62
■ *Wie gefällt Ihnen die Hose?*
● *Die Hose gefällt mir gut. Aber sie passt mir nicht.*

▲ *Die Farbe steht dir gut.*
● *Ja, ich weiß. Aber Dunkelgrün ist auch nicht schlecht.*

Der Mantel passt mir, aber die Farbe steht mir nicht. Er ist mir auch zu teuer.

Wo? – In einem Geschäft / Kaufhaus / Supermarkt / Büro. | *Im Erdgeschoss.*
In der ersten/zweiten/dritten Etage.

1 Was hat welche Farbe?

S. 92 A

| hell-
dunkel- | rot
blau
gelb | violett
grün
orange | schwarz*
grau
braun
weiß* |

Das Hemd von Carlos ist gelb.

Die Bluse von Tamara ist graublau.

*Hellschwarz, dunkelweiß: Gibt es das?

63 2 Das passt dir. Das steht dir. Das gefällt mir.

a) „Wo gibt es hier Hosen?" Hören Sie.

1 Wo sind Irina und Habib?   3 In welche Etage gehen sie zuerst?
2 Was wollen sie kaufen?   4 Wer möchte etwas kaufen: nur Habib, nur Irina oder beide?

64 b) „Und? Wie gefällt Ihnen die Hose?"   Hört man das?   Wer sagt das?

S. 92 B

1 Wie gefällt Ihnen die Hose?   ~~Nein~~ Ja   Das sagt _die Verkäuferin._

2 Sie passt mir gut.   Nein Ja   Das sagt _____.

3 Die Farbe steht mir.   Nein Ja   Das sagt _____.

4 Die ist mir zu teuer.   Nein Ja   Das sagt _____.

5 Das ist ein Sonderangebot.   Nein Ja   Das sagt _____.

6 Die Hose gefällt mir nicht.   Nein Ja   Das sagt _____.

c) „Irina, das sind Pullover!" Hören Sie.

1 Was will Irina? Was will sie nicht?
2 Was will Habib? Was will er nicht?
3 Weiß Habib, was er will?
4 Weiß Irina, was sie will?

5 Was glauben Sie: Kauft Habib eine Hose?
  Kauft Irina eine Hose oder einen Pullover?
  Oder kauft Irina eine Hose und einen Pullover?
6 Wissen Sie immer, was Sie wollen?

Gr. S. 91, 1

3 **Habib nimmt die dunkelgrüne Hose nicht.**

Die Verkäuferin sagt zu Habib: Die Hose passt Ihnen. Und sie steht Ihnen. Deshalb gefällt sie mir.

Irina denkt: Die Hose passt ihm. Sie …   .

Habib denkt: Die Hose …   Deshalb gefällt sie ihr.

Irina sagt zu Habib: Die Hose passt dir. Und die Farbe …   .

Irina sagt zu der Verkäuferin: Die Hose …   .

Habib sagt zu Irina und zur Verkäuferin: Ja, die Hose passt mir. Aber …   .

Deshalb …   .

Gr. S. 91, 4

4 **Berufskleidung**

Was tragen die Leute? Was sind sie von Beruf?

Arbeitsanzug | Uniform | Schutzanzug | Kittel | schwarzer Anzug mit Krawatte

Polizist/in | Kundendiensttechniker/in | Arzt/Ärztin | Zugbegleiter/in | Architekt/in | Chemiearbeiter/in | Schornsteinfeger/in | Labortechniker/in

Der Mitarbeiter auf Bild 2 trägt einen Arbeitsanzug. Sein Arbeitsanzug ist schwarz. Ich glaube, er ist Schornsteinfeger von Beruf.

Gr. S. 91, 3

5 **Der Clown**

Was trägt der Clown? Passt Ihnen das auch? Steht Ihnen das? Was passt, steht und gefällt Ihnen?

Fragen Sie andere Kursteilnehmer und berichten Sie.

Der Clown trägt eine Jacke. Die ist rot. Sie gefällt Tina und Kyros gut, aber sie passt ihnen natürlich nicht. Mir passt sie auch nicht, aber Rot steht mir.

MS-Office-Schulungen	Termin	Uhrzeit	Gesamt-dauer	Gebühr inkl. MwSt.
2 x Outlook: E-Mail und Kontakte, Termine und Aufgaben	Mi 25.2.09 und 4.3.09 Fr 27.2.09 und 13.3.09	9:00 - 18:00 9:00 - 18:00	16 Std.	135,- €
2 x Excel kompakt (maximal 4 Personen)	Beginn: Di 13.1.09 Beginn: Di 10.2.09	3x Di 19:00 -21:00 und 3x Sa 8:30 - 10:30	12 Std.	190,- €
MS-Office: Word-Outlook-Excel perfekt kombinieren	Di 3.03. und Do 5.3.09	9:00 - 17:00	14 Std.	230,- €
2 x Wochenend-Superintensiv: Outlook + Excel	Sa/So 7./8.3.09 Sa/So 21./22.3.09	Sa 9:00 - 18.00 So 9:00 - 13:00	12 Std.	260,- €

6 **Welchen Kurs buchen Sie?**

S. 94 H

a) Sie wollen einen Computerkurs in Outlook und einen in Excel machen. Notieren Sie Ihre Wünsche.

Stundenzahl	Wie viele Stunden soll der Kurs insgesamt umfassen?
Kursbeginn	Wann soll der Kurs beginnen?
Kursdauer	Wie lange soll der Kurs dauern?
Kursende	Wann soll der Kurs zu Ende sein?
Kursziel	Wie soll das Kursziel sein?
Intensität	Wie viele Unterrichtsstunden pro Tag und pro Woche soll der Kurs umfassen?
Kursart	Hätten Sie gern einen Intensiv-, Wochenend-, Abend-, Ganztags-, Kleingruppenkurs?

Gr. S. 91, 1

b) Fragen Sie einen Partner. Berichten Sie.

■ *Corinna, welche Kursart hättest du gern?*   ● *Einen Kleingruppenkurs. Der Preis ist mir egal. Aber das Kursziel soll klar und erreichbar sein.*

■ *Corinna hätte gern einen Kleingruppenkurs. Der Preis ist ihr egal. Aber das Kursziel soll klar und erreichbar sein.*

7 **Bis wann sollen die Leute? Wann wollen sie? Wann können sie?**

S. 94 I

Hören Sie. Welchen Kurs nehmen Frau Lauxen, Herr Bremer und Herr Hildesheimer?

8

S. 95 J

Kaufen Sie den Konferenztisch? Buchen Sie den Excel-Kurs?

Glas-Konferenztisch
180x60x75

€ 437,99

Lieferfrist 6 Wochen

Excel für alle
(maximal 20 Personen)

Mo–Mi–Fr 18.00–20.00 Uhr
Beginn: Mo 05.10.
Ende: Fr 30.10.

€ 398,00

So soll es sein:	So nicht:
groß	klein
hoch	niedrig
intensiv	extensiv
lang	kurz
praktisch	unpraktisch
bequem	unbequem
früh	spät
schnell	langsam

... ist nicht zu kurz.
... ist lang genug.
... ist genau richtig.
Den ... nehme/buche ich.

... ist mir zu klein / nicht groß genug.
... beginnt zu spät / nicht früh genug.
... dauert mir (viel) zu ...
Deshalb nehme/buche ich ... nicht.

Der Konferenztisch ist genau richtig – nicht zu groß und nicht zu klein. Den kaufe ich.

„Excel für alle" dauert mir viel zu lange. Der Kurs ist nicht intensiv genug. Deshalb buche ich den Kurs nicht.

9 *wissen, kennen, können*

a) ■ <u>Kennen</u> Sie den Herrn dort?   Gr. S. 91, 1

● Nein. Man _____ ja nicht alle Leute _____. Wie heißt er denn?

■ Das _____ ich nicht sagen. Aber ich glaube, ich _____ den Herrn.

● Aber Sie _____ nicht, woher. Richtig?

b) ■ Acht Stunden Unterricht täglich sind zu viel. Das _____ du doch auch.

● Natürlich _____ ich das. Du, das _____ ich. Ich habe auch so viel Unterricht.

■ Morgen haben wir wieder acht Stunden.

● Ich _____. Aber da _____ ihr nichts machen.

c) ■ Wo ist denn die Bürola?

● Das _____ ich nicht. Ich _____ die Dame nicht.

■ Das ist keine Dame.

● Oh, Entschuldigung! Aber das _____ man ja nicht _____.

■ Sie _____ also die Bürola nicht?! Die _____ hier alle.

10 **Zur Zuliefermesse nach Leipzig**

S. 95 K

Drei Mitarbeiter sollen zusammen auf der Zuliefermesse in Leipzig (3.–5. März) den Messestand für Büromaschinen betreuen. Sie wollen am 1. März (Sonntag) abfahren und am 7. März (Samstagabend) zurück sein. Sie brauchen einen Mietwagen. Sie wohnen natürlich in einem Hotel. Sie sollen einen Karton mit Ausstellungsmaterial (100 x 60 x 30, 60 kg) transportieren. Sie brauchen den Wagen nur am Sonntag (Anfahrtstag), am Montag und am Samstag (Rückreisetag). Sie können den Wagen für die ganze Zeit oder nur für die drei Tage mieten und immer abends zurückgeben. Was tun?

DIE ZULIEFERMESSE
18. Internationale Fachmesse für Teile, Komponenten, Module und Technologien

Z – Die Zuliefermesse
9. Internationale Fachmesse für Teile, Komponenten, Module und Technologien

	1 Tag	6 – 7 Tage	Abholstation geöffnet am 01.03.:	Rückgabestation geöffnet am 07.03.:
VW Fox	€ 67,00	€ 269,00	6.30 Uhr – 7.30 Uhr	6.00 Uhr – 19.00 Uhr
Mercedes A 150	€ 89,99	€ 294,99	und 20.00 – 21.00 Uhr	Rückgabe von 19.00 – 24.00
Mercedes 220 CDI Kombi	€ 101,99	€ 374,99	mit Extragebühren	nur nach Vereinbarung

Arbeiten Sie zu dritt. Sammeln Sie Argumente. Treffen Sie eine Entscheidung. Berichten Sie.

11   Maschinen. Maschinen? Maschinen???

S. 95 L

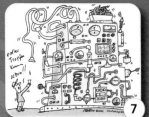

Sind auf allen Bildern wirklich Maschinen?

Welche Maschinen erkennen Sie?

Sitzmaschine | Fahrmaschine | Denkmaschine | Wohnmaschine |
Büromaschine | Flugmaschine | Verpackungsmaschine |
Arbeitsmaschine | ...

Sagen Sie Ihre Meinung.

*Die Maschine auf Bild 7 ist vielleicht
eine Büromaschine.*

*So eine Maschine gibt es (nicht) /
hätte ich gern / funktioniert (nicht).*

Ich finde sie (zu) ...
Ich finde sie (nicht) ... genug.

Sie ist (mir zu) ...
Sie ist (mir) (nicht) ... genug.

Deshalb	nehme	ich sie (nicht).
	kaufe	
	bestelle	
	benutze	

gut*	schlecht*
billig*	teuer*
praktisch*	
unpraktisch*	
bequem*	
unbequem*	
einfach*	
kompliziert*	

*Kann eine Maschine
zu gut (und nicht
schlecht genug) sein?

S. 95 M

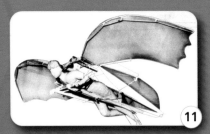

12   Ach ja, der Schulze. Tja, der Schulze!

67

Hören Sie. Wie finden Sie Herrn Schulze? Kennen Sie Leute wie „den" Schulze? Ist Herr Schulze eine
Arbeitsmaschine? Möchten Sie lieber wie Herr Schulze oder wie Frau Molitor sein?

1 Die Modalverben und *wissen*

	können	wollen	müssen	sollen	wissen
ich	kann	will	muss	soll	weiß
du	kannst	willst	musst	sollst	weißt
er/sie	kann	will	muss	soll	weiß
wir	können	wollen	müssen	sollen	wissen
ihr	könnt	wollt	müsst	sollt	wisst
sie/Sie	können	wollen	müssen	sollen	wissen

2 Satzbau

1	Verb 1	...	Verb 2
Ich	will	das Angebot fertig	machen.
Sie	sollen	aber morgen zur Messe nach Leipzig	fahren.
Deshalb	können	Sie das Angebot nicht fertig	machen.
Dann	muss	ich das Angebot auf Donnerstag	verschieben.
	Kann	der Kunde denn so lange	warten?

3 Verben mit a → ä

	fahren	betragen	gefallen	tragen
ich	fahre		gefalle	trage
du	fährst		gefällst	trägst
er/sie	fährt	beträgt	gefällt	trägt
wir	fahren		gefallen	tragen
ihr	fahrt		gefallt	tragt
sie/Sie	fahren	betragen	gefallen	tragen

4 Personalpronomen im Dativ

Singular	ich	mir
	du	dir
	Sie	Ihnen
	er	ihm
	sie	ihr
Plural	sie	ihnen
	Sie	Ihnen

Wichtige Wörter und Wendungen

Die Farben

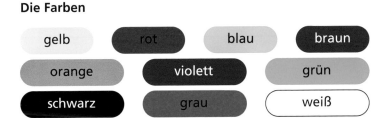

gelb · rot · blau · braun · orange · violett · grün · schwarz · grau · weiß

dunkel-	hell-
dunkelrot	hellrot
dunkelgrün	hellgrün
dunkelbraun	hellbraun
dunkel_____	hell_____

graublau, blaugrün, gelbbraun, ...

wissen, können und kennen

● Wo ist die Bürola?
■ Das **kann** ich nicht sagen. Ich **kenne** keine Bürola.
● Ach so, dann **können** Sie das nicht **wissen**.

● Wer ist die Dame?
■ Das **kann** Ihnen Herr Burger sagen. Ich **weiß** es nicht. Ich **kenne** sie nicht.

Redewendungen

Das ist ihm | (viel/etwas) zu groß.
           | (nicht) groß genug.

Das tut mir leid.
Mir passt die Hose nicht. Und dir?
Der 5. Mai passt ihr nicht.
Der 6. Mai ist ihr lieber.

gefallen

● Gefällt dir die Hose?
■ Ja, sie gefällt mir gut. Aber ...

● Wie gefällt Ihnen das Auto, Herr Ludewig?
■ Es gefällt mir gut. Aber es ist mir etwas zu ...

schmecken

● Wie schmeckt dir das Fleisch?
■ Danke, gut. Und wie schmeckt dir das Bier?

● Wie schmeckt Ihnen der Fisch?
■ Danke, mir schmeckt er sehr gut. Aber Frau Beier sagt, ihr schmeckt er nicht so gut.

A Hier fehlen die Farben. Notieren Sie die Farben.

rot, weiß _____   _____   _____   _____   _____

_____   _____   _____   _____   _____

_____

_____

_____

_____

Zu Ihrer Hilfe:

www.fahnen-fahnenmasten.de
www.absperr-schilder-technik.de
www.bahn.de
www.shell.com   www.bmw.de
www.hermaringer.de   www.t-com.de
www.gfci.de   www.cityreview.ch
www.capers.ltd.uk   www.deutsche.bank.de

 Deutsche Telekom

_____   _____   _____   _____

_____   _____   _____   _____

B Habib, Irina und die Verkäuferin

a) Habib zu Irina: Die Schuhe gefallen _mir_, aber sie sind _____ zu teuer.

b) Verkäuferin zu Habib: Die Schuhe sind _____ vielleicht zu teuer, aber sie passen _____.

     _____ persönlich gefallen sie gut und ich glaube, _____ gefallen sie auch.

c) Habib antwortet: Ja, das ist richtig: Sie passen _____ gut. Aber ich finde sie zu teuer.

d) Verkäuferin zu Habib: Sie stehen _____ auch gut. Und sie passen _____ so gut.

e) Verkäuferin zu Irina: Und wie gefallen _____ die Schuhe? Sind sie _____ auch zu teuer?

f) Habib sagt: Die Schuhe gefallen _____ gut.

g) Irina zu Habib: Du, Habib, ich finde, die Schuhe stehen _____ wirklich gut.

h) Habib zu beiden: Das ist ja alles richtig. Aber sie sind _____ einfach zu teuer.

i) Verkäuferin zu Habib: Ach, vielleicht gefallen _____ die da.

j) Irina zu Habib: Oh, Habib, die Schuhe gefallen _____ gut! Und _____ ?

k) Habib zur Irina: Die Schuhe gefallen _____, aber _____ nicht. Tut _____ leid.

C glauben, wissen, können, müssen: Wer schreibt die Angebote?

- Ich ___glaube___, Herr Müller kommt nicht. ● Wieso _____ du das?

- Er _____ noch zehn Angebote schreiben. Deshalb _____ er nicht kommen.

● Zehn Angebote? Woher _____ du das?

- Das _____ wir alle und du _____ es auch.

● Es ist aber falsch. Ich schreibe die Angebote. Und _____ du, bis wann? Bis heute Abend

  17.00 Uhr. Was sagst du jetzt?

- Ich _____, so schnell _____ du nicht zehn Angebote schreiben. Das geht nicht.

● Das _____ ich auch. Deshalb schreiben wir sie zusammen, du fünf und ich fünf. Okay?

D Ein Mann und die zweite Frau von rechts und ...

a) Was tragen die Leute?

Ein Mann trägt einen Hut. Die dritte Person von rechts trägt ...

AB 39 b) Hören und sprechen ▶ *Was trägt die dritte Person von rechts?*
  ● *Einen Arbeitsanzug.*

E Farben: Schreiben Sie fünf oder mehr Sätze wie im Beispiel.

Was?	Wie oft?	Welche Farbe?		
Zucker | Apfelsinen | Kartoffeln | Aktenordner | Fleisch | Kaffee | Salat | Schokolade | Blumen | Reis | Brot | Herrenschuhe | Joghurt | Wein | Milch	immer | fast immer | (sehr) oft | normaler- weise | manchmal | selten | nie	hell- dunkel-	rot blau gelb	violett grün orange	schwarz grau braun weiß

Zucker ist normalerweise weiß und manchmal braun ...

F Ich und das Hemd, Dora und die Bluse, Herr Kunze und der Hut

a) Ich und das Hemd

Das Hemd passt _mir_ nicht. Es ist

_____ zu groß. Die Farbe ge-

fällt _____ aber. Ich finde Grün

schön. Aber steht es _____?

b) Dora und die Bluse

Die Bluse passt ihr

_____

_____

_____

c) Herr Kunze und der Hut

Der Hut

_____

_____

_____

G Aussprache

Man schreibt b, d, g; man spricht [bee] oder [pʰee], [dee] oder [tʰee], [gee] oder [kʰaa]

a) Hören und nachsprechen

b) Markieren Sie [bee, dee, gee] mit „ ° " und [pʰee, tʰee, kʰaa] mit „* "

   Frau Kor**b*** sa**g**_t, Sie ha**b**_°en tä**g**_lich a**b**_en**d**_s am Prüfstan**d**_ **D**_ienst. – Sie sollen **d**_eshal**b**_
   am Monta**g**_ un**d**_ am **D**_iensta**g**_ einen Ar**b**_eitsanzu**g**_ tra**g**_en. – Das gel**b**_e Hem**d**_ ist
   g_roß **g**_enu**g**_. Was **g**_lau**b**_st **d**_u?

H   **Konferenzvorbereitung**

Wie soll es sein? Wer soll was machen?

a) Frau Theobald: die Tagesordnung zusammenstellen

Frau Theobald soll die Tagesordnung zusammenstellen.

b) Frau Basini und Herr Remmert: die Gäste am Bahnhof abholen

Frau Basini und Herr Remmert

c) die Konferenz: möglichst nur 5 bis 6 Stunden dauern

d) alle Vertriebsmitarbeiter: pünktlich um 9.00 Uhr im Konferenzraum sein

e) die Konferenz: um 10.00 Uhr beginnen

f) ich: die ganze Zeit anwesend sein

g) du: für den Einkauf sprechen

h) alle Konferenzteilnehmer: für die Fahrt zum Restaurant „Goldene Gans" den Firmenbus benutzen

I   **Outlook und Excel**

a) Ordnen Sie zu.

A Die Leute sollen bis 1. April Outlook und Excel können.
B Herr Hildesheimer hat wenig Zeit.
C Herr Hildesheimer kann schon ganz gut Outlook und ein wenig Excel.
D Herr Bremer ist am 4. März auf der Messe in Leipzig.
E Herr Bremer kann den Outlook-Kurs am 25. Februar und am 4. März nicht besuchen.
F Frau Lauxen fährt nicht zur Messe nach Leipzig.
G Herr Bremer und Herr Hildesheimer sind vom 1. bis 7. März auf der Messe in Leipzig.

1 Er kann den Outlook-Kurs am 25. Februar und am 4. März nicht nehmen.
2 Zwei Kurstage sind genug.
3 Sie kann den Kurs „Word-Outlook-Excel" am 3. und 5. März nehmen.
4 Sie müssen vorher Computerkurse besuchen.
5 Sie können in der ersten Märzwoche keinen Computerkurs machen.
6 Er muss einen anderen Termin finden.
7 Er nimmt den Wochenend-Superintensiv-Kurs.

b) Verbinden Sie die Sätze mit *deshalb*.

A *Die Leute sollen bis 1. April Outlook und Excel können. Deshalb müssen sie vorher Computerkurse besuchen.*

B

C

D

E

F

G

J Wie sind die Schreibtische?

Soll	Modell „artline"	Modell „niceday"	Modell „practic"
150 x 60 x 75	140 x 60 x 75	160 x 60 x 75	150 x 60 x 75
€ 200,00–250,00	€ 329,00	€ 199,00	€ 229,90
mittelbraun	mittelbraun	dunkelbraun	hellbraun

Meinungen	ich	er	sie	ich	er	sie	ich	er	sie
praktisch	0	–	–	+	++	0	++	+	0
bequem	–	– –	0	0	–	+	0	–	– –
formschön	++	+	+	–	0	+	–	–	–

Schreiben Sie wie im Beispiel.

● Modell „artline" ist etwas zu kurz. Es ist viel zu teuer. Die Farbe ist richtig. Modell „niceday" ist ...

● Modell „artline" ist nicht sehr praktisch. Es ist mir nicht bequem genug. Aber ich finde es sehr formschön.

   Modell „artline" ist ihm ...   Modell „artline" ist ihr ...

K Am 10. Juni ...

a) ich: Am 10. Juni will ich zur Firma Ludewig fahren. Aber Herr Börner sagt, ich soll zur Messe fahren.

Ich kann also nicht zur Firma Ludewig fahren. Ich muss die Fahrt zur Firma Ludewig absagen.

b) du: Am 10. Juni willst du _____

_____

c) er: Am 10. Juni will er _____

_____

d) wir: _____

_____

e) ihr: _____

_____

f) Sie: _____

_____

L Was ist denn das?

Hören Sie den Dialog.
So viel ist klar: Ein Fotokopierer ist es nicht.

Ein Tipp:
Geben Sie in eine Internetsuchmaschine
„Bizerba Linepack" ein und gehen Sie dann
auf die Seiten von Bizerba.

M Hören und sprechen

● *Das ist mir zu kurz.*

■ *Also nicht lang genug.*

kurz	–	lang	klein	–	groß
schlecht	–	gut	dunkel	–	hell
langsam	–	schnell	kompliziert	–	einfach
spät	–	früh	wenig	–	(!)

Herzlichen Glückwunsch!

68
- ● Hallo, Diego, das ist meine Kollegin Sandra.
- ▲ Freut mich, Sandra. Mein Name ist Diego.
- ■ Hallo, Diego. Herzlich willkommen.

69
- ● Hallo, Lihua. Das ist Tanja. Heute ist ihr Geburtstag.
- ■ Herzlichen Glückwunsch zum Geburtstag.
- ▲ Danke, Lihua. Und herzlich willkommen auf der Party!

70
- ● Sag mal, Torsten, wie alt wird denn deine Schwester?
- ▲ Tanja? Sie wird heute 25 Jahre alt.
- ● Oh, erst 25! Ich bin schon 26 Jahre alt.

---

1   Mein Kollege, dein Freund, meine Kollegin ...

S. 102 A   Spielen Sie: Vorstellung, Glückwünsche, Fragen ...

71 2   Eine Feier im „Extremo".

Hören Sie.
a) Was feiern die Leute?
b) Wo arbeiten die Leute?
c) Was trinkt Lihua?
d) Sagt Lihua „du" oder „Sie" zu Tanja?

S. 102 B   e) Ordnen Sie zu. Schreiben Sie in die Übersicht.

           A Tanja ist seine Kollegin.
1 Tanja: B Heute ist ihr Geburtstag.
2 Sören: C Die Weidrich AG ist ihre Firma.
3 Torsten: D Tanja ist seine Schwester.
           E Torsten ist ihr Bruder.
4 Lihua: F Lihua ist seine Kollegin.
5 alle: G Torsten ist ihr Kollege.
S. 102 C   H Torsten ist sein Freund.

Weidrich AG — _ihre Firma_

Sören — _seine Kollegin_ / _ihr_ — _Lihua_

seine —

Tanja — _Bruder_ — _Torsten_

Gr. S. 101, 1

f) Was sagen Tanja, Sören Torsten, Lihua?
Beispiel: Tanja.

Heute ist mein Geburtstag. Torsten ist mein Bruder. Ich bin seine ...   Sören ist mein ...

3 Ein Brief

a) Steht das im Brief?

1 Wer sind die Leute auf den Fotos?
2 Wie lange dauert das Praktikum?
3 Wie viele Kinder haben
Herr und Frau Stegmann?
4 Leben die Eltern von Herrn und
Frau Stegmann noch?
5 Sind Tanja und Torsten ledig?
6 Hat Tanja einen Freund?
7 Hat Torsten eine eigene Wohnung?
8 Möchte Tanja bald heiraten?
9 Sind Stegmanns nett?

Liebe Monika,

jetzt bin ich schon zwei Monate hier bei der Weidrich AG und bleibe noch ungefähr sechs Monate. Mein Praktikum ist interessant und ich habe nette Kollegen und Freunde, z. B. Torsten und Tanja Stegmann. Tanja (blond, 25 Jahre alt) arbeitet im Einkauf. Das Foto ist von einem Besuch bei Familie Stegmann am letzten Wochenende.

Torsten und Tanja wohnen noch bei ihren Eltern. Ihr Vater findet das nicht gut. Er sagt: „Ich hoffe, meine Kinder heiraten bald und wir bekommen Enkel."

Ihre Mutter findet es gut so. „Unser Sohn und unsere Tochter können hier noch lange wohnen. Unser Haus ist groß. Da haben wir auch Platz für eine junge Familie", meint sie.

Der zweite von rechts ist der Großvater von Torsten und Tanja. Ganz rechts ist Frau Kühn, ihre Großmutter mütterlicherseits. Ein schöner Nachmittag!

Geht es Dir gut? Bitte schreib bald!

Liebe Grüße Lihua

b) Stegmanns sprechen über
ihre Familie.
Übernehmen Sie die Rollen.
Die Übersicht unten hilft.

Beispiel Großvater:

*Mein Name ist Friedrich Stegmann. Ich wohne
bei meinem Sohn und seiner Familie. Er ist Kaufmann
von Beruf. Meine Schwiegertochter ...*

4 Ihre Familie

Sprechen Sie über Ihre Familie.
Zeigen Sie Familienfotos.

- Wie heißt Ihr Vater?
- Wie heißt Ihre Mutter?
- Leben Ihre Großeltern noch?
Wo wohnen sie?
- Was sind Ihre Eltern von Beruf?
- Wie alt sind Ihre Eltern /
Ihre Großeltern?
- Haben Sie Schwestern oder Brüder?
- Wann sind Sie geboren?
- Sind Sie ledig oder verheiratet?
- Was ist Ihr Mann / Ihre Frau von Beruf?
- Haben Sie Kinder?
- Was machen Ihre Schwiegereltern?
- ...

72

• *Herzlichen Glückwunsch!*
  Viel Erfolg im neuen Job!
  Viel Erfolg in der neuen Position!
  Alles Gute für die Zukunft!
  Alles Gute im neuen Jahr/Lebensjahr!
  Prost Neujahr! / Glück und Gesundheit!
  Frohes Fest!

▲ *Danke!*
  Vielen Dank!
  Herzlichen Dank!
  Danke, gleichfalls!

Herzlichen Glückwunsch Herr Maier!

5   Was sagt man ...?

S. 104 G

zur Beförderung | zum Geburtstag | zum neuen Jahr | zur neuen Stelle | zur Verabschiedung | zur Versetzung | zu Weihnachten | zum Firmenjubiläum | zum Dienstjubiläum

6   Berufliche und private Anlässe: Wo und wie feiert man bei Ihnen ...

S. 104 H

... Geburtstag, Beförderung, Weihnachten, Dienstjubiläum, Verabschiedung, den neuen Job?

Wo: am Arbeitsplatz?   Wie: in der Arbeitszeit oder nach Feierabend?   Ansprachen?
     zu Hause?   Gäste: Freunde, Kollegen?   Musik, Singen?
     im Restaurant? ...   Essen? Getränke?   Geschenke?

7   Einladung

S. 104 I

a) Feiern die Mitarbeiter
   ○ in der Arbeitszeit?
   ○ nach Feierabend?

b) Sprechen Sie über die Einladung:
   Welche Anlässe? Wann? Wo?

Einladung

Unser Alfons Maier (mit a-i!)
• ist am Donnerstag, 19. Mai,
  25 Jahre im Unternehmen.
• wird in diesem Monat 50 Jahre alt.
Am Donnerstag möchten wir ihm zweimal gratulieren.
Ort: Konferenzraum
Zeit: 18.00 Uhr
Das Festkomitee bittet um zahlreiches Erscheinen.

8 **Herr Quasthoff heißt die Gäste willkommen und gratuliert.**

Hören Sie.

1 Ist Herr Quasthoff ein Kollege, ein Mitarbeiter, der Vorgesetzte, ein Freund von Herrn Maier?
2 Wie benutzt er „Sie" und „du"?
3 Herr Quasthoff sagt: „Sein halbes Leben ist Alfons Maier in unserer Firma." Wie viele Jahre sind das?
4 Welche Funktion hat Alfons Maier heute?
5 Wie lange hat er diese Funktion schon?
6 Welches Hobby hat Alfons Maier? Kreuzen Sie an. Welches Geschenk bekommt er?

Joggen
Lesen
Fahrrad fahren
Wandern
Fotografieren

7 Glückwünsche: Welche hören Sie? Welche passen noch?

9 **Herr Maier dankt für die freundlichen Worte.**

a) Hören Sie. Was gibt es zu essen?

b) Wie finden Sie die Feier? Wie finden Sie das Betriebsklima bei Sperling?
Kühl, freundlich, herzlich, familiär, ...?

10 **Ansprache: Begrüßung, Glückwünsche, Dank**

Gr. S. 101, 2
Gr. S. 101, 3

a) Begrüßung und Glückwünsche

Ich möchte / Wir möchten	
dich/Sie	... willkommen heißen.
euch/Sie	herzlich (...) begrüßen.

zur Konferenz „..." | bei uns zu Hause |
zur Geburtstagsfeier von ... | bei Firma ... |
im Kurs „Deutsch im Beruf" |
zum Seminar „Excel für alle" | in Berlin | ...

Ich möchte / Wir möchten	
dir/Ihnen	alles Gute ... wünschen.
euch/Ihnen	herzlich ... gratulieren.

für die Zukunft | zum Geburtstag |
im neuen Jahr | zum Jubiläum |
zur neuen Stelle |
am neuen Arbeitsplatz | ...

b) Dank

Ich möchte / Wir möchten	
dir/Ihnen	herzlich für ... danken.
euch/Ihnen	

die Begrüßung | die guten Wünsche |
den freundlichen Empfang |
das schöne Geschenk | Ihr Kommen |
den interessanten Vortrag | ...

c) Machen Sie kurze Ansprachen.

Heißen Sie die Gäste willkommen,
wünschen Sie Glück, danken
Sie den Gästen / den Gastgebern.

Geburtstag | guter Test |
schöne Tage im Kurs |
Weihnachtsfeier |
...

TAG DER OFFENEN TÜR

Feiern Sie und die ganze
Familie unseren
40. Geburtstag mit uns.
Sonntag, 8. April,
10.00–17.00 Uhr

AUTOHAUS
GRAF

*Für gute
Stimmung
sorgen die
Flippers.*

- Präsentation der neuen Modelle –
  der Auto-Sommer schon jetzt bei uns
- Viele Fahrzeuge zum Jubiläumspreis
- Kaffee und Kuchen
- Sektbar
- Fahrsimulator, Probefahren,
  Sicherheitstraining
- Großes Gewinnspiel mit vielen Preisen
- Viele tolle Überraschungen

Für die Kleinen:
- Pony-Express
- Training an der Kletterwand
  (mit erfahrenen Betreuern)

**Roland und Evelin Graf
und ihr Team erwarten Sie!**

KOLLEKTIONSPREMIERE
V.I.P. EINLADUNG

Frühling / Sommer

Samstag, 7. April, in unseren City-Geschäftsräumen

Modehaus Öttinger
Damen & Herren

75

S. 105 L

11   **Sieh mal hier, Tag der offenen Tür bei Graf.**

Hören Sie.

- Wer möchte gern
  | zum Tag der offenen Tür?
  | zur Modenschau?
- Wohin möchte der Sohn?

- Wohin möchten Sie?
- Wohin möchten Sie nicht?

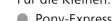

Sie haben Lust.	**Sie haben keine Lust.**	
Oh ja, gern.	*Ach, ich weiß nicht.*	zum Probefahren
Da kann man …	*Was willst du denn da?*	zur Modenschau
Da gibt es …	*Was soll ich denn da?*	zur Zuliefermesse
… finde ich interessant/spannend/…	*… finde ich langweilig/blöde/ …*	zur After-Work-Party
… mache/esse/… ich gern.	*… mache/esse/… ich nicht gern.*	zum Wandern
Oh, das ist super.	*Ach, das ist nicht mein Ding.*	ins Kino
Ich gehe …	*Ich gehe lieber …*	auf den Flohmarkt
		…

1 Possessivartikel im Nominativ

	Singular			Plural	
	m	**n**	**f**	**m / n / f**	
ich	mein Vater	mein Kind	meine Schwester	meine Söhne, Kinder, Töchter	
du	dein Vater	dein Kind	deine Schwester	deine Söhne, Kinder, Töchter	
er/es	sein Vater	sein Kind	seine Schwester	seine Söhne, Kinder, Töchter	
sie	ihr Vater	ihr Kind	ihre Schwester	-/e ihre Söhne, Kinder, Töchter	e
wir	unser Vater	unser Kind	unsere Schwester	unsere Söhne, Kinder, Töchter	
ihr	euer Vater	euer Kind	eure Schwester	eure Söhne, Kinder, Töchter	
sie/Sie	ihr/Ihr Vater	ihr/Ihr Kind	ihre/Ihre Schwester	ihre/Ihre Söhne, Kinder, Töchter	

2 Modalverben

1	**Verb**				...	**Infinitiv**
Ich	kann	möchte	muss	soll	nach Frankreich	fahren.
Du	kannst	möchtest	musst	sollst	ins Kino	gehen.
Er/Sie	kann	möchte	muss	soll	unsere Besucher	begrüßen.
Wir	können	möchten	müssen	sollen	nach dem Weg zum Bahnhof	fragen.
Ihr	könnt	möchtet	müsst	sollt	Frau Lavalle	anrufen.
Sie	können	möchten	müssen	sollen	...	...

3 Personalpronomen Akkusativ / Dativ

	Wen		**Wem**	
ich	mich	willkommen heißen	mir	gratulieren
du	dich	begrüßen	dir	Glück wünschen
er	ihn	anrufen	ihm	danken
sie	sie	besuchen	ihr	helfen
wir	uns	kennen	uns	...
ihr	euch	erwarten	euch	
sie/Sie	sie/Sie	...	ihnen/Ihnen	

Geburtstag

Wie alt wird er/sie?
Er/Sie wird ... (Jahre alt).
Herzlichen Glückwunsch.

Familie

- die Großeltern: der Großvater – die Großmutter (väterlicherseits/mütterlicherseits)
- die Eltern: der Vater – die Mutter
- die Schwiegereltern: der Schwiegervater – die Schwiegermutter
- die Kinder: der Sohn – die Tochter
- die Enkel: der Enkel –- die Enkelin

Glückwünsche

privat		**beruflich**	
Geburtstag	Herzlichen Glückwunsch! Alles Gute im neuen Lebensjahr!	Beförderung Dienstjubiläum	Herzlichen Glückwunsch!
neues Jahr	Prost Neujahr! Glück und Gesundheit! Alles Gute im neuen Jahr	neue Stelle Versetzung Verabschiedung	Viel Erfolg im neuen Job! Alles Gute für die Zukunft!!
Weihnachten	Frohes Fest!		

A   Vorstellung, Glückwünsche, Willkommensgruß, Nachfrage

a) Torsten, Eva und Carlo Varani

● Carlo, das ist _Eva._

▲ Freut mich. _____ Carlo Varani.

■ Guten Abend, und _____ auf der Party.

b) Torsten, seine Schwester Tanja Stegmann und Klaus

● Hallo, Klaus, das ist meine _____. Sie _____ heute 25.

▲ Oh, Sie sind erst 25 Jahre alt! Herzlichen _____ zum _____.

■ Danke.

c) Edith Lavalle (Firma Weidrich) und Alfons Maier (Firma Sperling).

● Guten Tag, mein Name ist _____, _____.

▲ _____. Mein _____ ist Maier, Alfons Maier.
_____ hier in Berlin bei der Sperling GmbH.

d) Sören, seine Kollegin Tanja Stegmann (Assistentin im Einkauf) und Klaus

● Sag mal, Sören, was ist denn _____ Kollegin von _____?

▲ Sie ist Industriekauffrau. Sie arbeitet bei uns als _____.

● Interessant. Ich bin auch _____ von Beruf.

B   Possessivartikel

a) Schreiben Sie den Artikel in die Lücken und die Fragen und Antworten wie im Beispiel.

1	_der_	Mantel	● _Edith, ist das dein Mantel?_	– ▲ _Ja, das ist mein Mantel._
2	_____	Hemd	● _Herr Zett,_	– ▲ _Ja, das ist_
3	_____	Wohnung	● _Hans und Eva,_	– ▲ _Ja,_
4	_____	Kleider	● _Tanja,_	– ▲
5	_____	Fahrrad	● _Habib,_	– ▲
6	_____	PC	● _Frau Boos,_	– ▲
7	_____	Schuhe	● _Kinder,_	– ▲
8	_____	Büro	● _Torsten,_	– ▲
9	_____	Firma	● _Herr Zhang,_	– ▲

b) Wie viele Wörter sind maskulin, neutrum und feminin? Wo endet der Possessivartikel auf -e?

C   Was sagt Sören? Was sagt Tanja?

a) Sören

_Tanja ist meine Kollegin. Torsten
ist mein ... . Die Weidrich AG ist
... Firma. ..._

b) Tanja

Sören ist mein ...

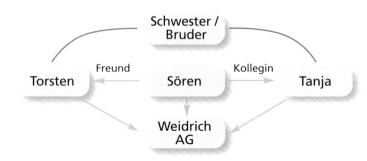

D   Angaben zur Person. Füllen Sie die Formulare aus.

a) Frau Dipl.-Ing. Lea Kahlo ist verheiratet und hat zwei Söhne und eine Tochter. Am 15.10.2010 wird sie 45 Jahre alt. Sie wohnt in 1090 Wien, Porzellangasse 46.

Name: _____

Vorname: _____

Beruf: _____

Familienstand: _____

Kinder: _____

Geburtsdatum: _____

Adresse:

PLZ: _A-_____   Ort: _____

Straße: _____

Name: _____

Vorname: _____

Beruf: _____

Familienstand: _____

Kinder: _____

Geburtsdatum: _____

Adresse:

PLZ: _D-_____   Ort: _____

Straße: _____

b) Herbert Krauss arbeitet als Informatiker an der Universität Bielefeld. Er wohnt dort in der Westfalenstr. 12. Die Postleitzahl lautet 33647. Er ist ledig und hat keine Kinder. Er ist 25 Jahre alt. Sein Geburtstag ist am 07. Februar.

E   Wer sagt das? Ordnen Sie zu.

1   der Großvater
2   die Großmutter
3   die Mutter, Frau Stegmann
4   der Vater, Herr Stegmann
5   der Sohn, Torsten
6   die Tochter, Tanja

A   Ich habe zwei Enkelkinder, eine Enkelin und einen Enkel. Mein Mann lebt nicht mehr. Mein Schwiegersohn hätte auch gern Enkel. Aber seine Kinder sind noch ledig und haben keine Kinder.

B   Mein Bruder und ich arbeiten bei der Weidrich AG. Unsere Mutter arbeitet nicht, das heißt: Sie macht den Haushalt. Unser Vater ist Kaufmann von Beruf. Ich möchte noch keine Kinder. Ich möchte noch ein paar Jahre arbeiten.

C   Meine Mutter lebt nicht mehr. Mein Vater und meine Schwiegermutter wohnen bei uns. Ich bin schon 26 Jahre verheiratet und habe zwei Kinder.

F   Großeltern → Eltern → Kinder / Enkel

Schreiben Sie einen Text.
Benutzen Sie die folgenden Punkte.

- Wie lange sind die Großeltern verheiratet?
- Was sind die Großeltern, ihre Tochter und ihr Schwiegersohn von Beruf?
- Wie lange sind Sebastian und Carola schon verheiratet?
- Wie viele Enkel sind in der Familie?
- Wie heißen die Enkel?
- Wann sind die Enkel geboren?
- Wie alt sind ihre Eltern und ihre Großeltern heute?

Gertrud Simonis (65) Kinderärztin — 1972 — Alfred Simonis (68) Architekt

Sebastian Merz (39) Geschäftsführer — 1990 — Carola Merz (38) Dipl.-Kauffrau

Anna Merz *30.10.1992   Jonas Merz *1.4.1996   Esther Merz *7.2.2004

G   **Glückwünsche**

a) Ihre Freundin hat eine neue Stelle. Sie sagen: „_____"

b) Am Freitag Nachmittag, 23. Dezember, wünschen die Kollegen: „_____"

c) Am 31. 12. um 24.00 Uhr sagen Sie zu Freunden und Familie: „_____"

d) Sie feiern die Beförderung von Frau Schmölninger zur Abteilungsleiterin. Sie sagen:

„_____, Frau Schmölinger."

e) Heute verabschieden die Mitarbeiter den alten Abteilungsleiter. Sie sagen:

„_____"

f) Herr Maier hat Geburtstag. Sie gratulieren ihm und sagen: „_____"

H   **Was passt zusammen? Ordnen Sie zu.**

1 Sehr geehrte Damen und Herren,
2 Liebe Freunde,
3 Dir, lieber Kollege,
4 Für die gute Zusammenarbeit
5 Lieber Alfons,
6 Zum Geburtstag
7 Sehr geehrte Frau Dr. Zahn,

ich möchte
möchte ich

A dir für den schönen Abend danken.
B dir, liebe Kollegin, alles Gute wünschen.
C Ihnen herzlich danken.
D herzlich zum Dienstjubiläum gratulieren.
E Ihnen für den herzlichen Empfang danken.
F euch zur Weihnachtsfeier willkommen heißen.
G Sie bei uns willkommen heißen.

AB 43   **I**   **Hören und sprechen**

● *Frau Müller hat heute Geburtstag.*
▲ *Herzlichen Glückwunsch zum Geburtstag!*

Viel Erfolg im neuen Job!
Frohes Fest!
Herzlichen Glückwunsch zum Geburtstag!
Alles Gute für die Zukunft!
Prost Neujahr!
Glück und Gesundheit im neuen Jahr!
Viel Erfolg in der neuen Position!

J   **Aussprache: s – stimmhaft → sechs ←stimmlos**

a) Schreiben Sie die Wörter in die Tabelle. Lesen Sie die Wörter laut.

~~Geburtstag~~ | ~~Versetzung~~ | Gesundheit | Vorgesetzte | gleichfalls | Donnerstag |
Haus | zu Hause | heißen | Susanne Simonis | Großeltern | Sohn | Frohes Fest | sagen |
sechsundsechzig | Reis | Reise | Grüße | Pause | geschlossen | Mittagessen | Gemüse |
Position | sieben

stimmhaft: am Silbenanfang	stimmlos: am Silbenende, ...ss..., ...ß...
Versetzung,	Geburtstag,

AB 44   **b)** Hören und nachsprechen

K Ansprachen

a) Ist die Ansprache eher formell oder eher informell?

Liebe Mitarbeiterinnen und Mitarbeiter,
die Geschäftsführung möchte Sie zur Jahreskonferenz herzlich willkommen heißen. Heute möchten wir die Planung für das nächste Jahr besprechen. Wir möchten Ihnen aber auch zum Erfolg im letzten Jahr gratulieren. Wir danken Ihnen für Ihr Kommen.

b) Wohin gehören die Sätze?

1 Unsere Sabine Piontek wird heute 65. | 2 Wir danken Ihnen für die langjährige gute Zusammenarbeit. | 3 Wir möchten heute Frau Piontek für 25 Jahre Mitarbeit danken. | 4 Sehr geehrte Damen und Herren! | 5 Vielen Dank für alles. | 6 Liebe Freunde, liebe Kollegen! | 7 Herzlichen Glückwunsch und alles Gute. | 8 Zu unserer kleinen Feier möchte ich Sie herzlich begrüßen. | 9 Herzlich willkommen zu der kleinen Feier hier. | 10 Zum Jubiläum möchten wir Ihnen gratulieren.

	formell	informell
Anrede:		*Liebe Freunde, liebe Kollegen!*
Begrüßung:		
Anlass:		
Glückwünsche/ Gratulation:		
Dank:		

L Silbenrätsel: Welche Themen haben die Lektionen 1–10?

Lektion

1   *B e g r ü ß u n g*   und

2   und   *A d r e s s e*

3   und

4   und

5   und

6   und

7   Wegbeschreibung   in   und

8   einhalten   und

9   kaufen   und   Kurs

10   und   berufliche

a̶ | be | b̶e̶ | ben | bu | chen | den | der | d̶r̶e̶s̶ | dung | ein | ern | es | fei | fen | fir | g̶r̶ü̶ | ka | kau | kehrs | ken | klei | len | len | lung | ma | mi | min | mit | ne | plan | pri | rei | schie | s̶e̶ | sen | sen | B̶u̶n̶g̶ | stadt | stel | stel | stun | te | tel | ter | ter | trin | uhr | va | ver | ver | vor | zeit

Abschlusstest

Der folgende Test entspricht in Form und Umfang der Prüfung START DEUTSCH 1, aber nicht im Inhalt (Wörter und Wendungen, Grammatik). Die Prüfung START DEUTSCH 1 verlangt Kenntnisse auf der Stufe A1 des Gemeinsamen Eurpäischen Referenzrahmens. START DEUTSCH 1 können Sie nach Alltag, Beruf & Co. 2 (A1/2) machen.

Hören (20 Minuten)

76-81 **Teil 1**

Sie hören sechs kurze Dialoge. Was ist richtig? Kreuzen Sie A, B oder C an. Sie hören jeden Dialog zweimal.

1 Welche Bluse gefällt der Kundin?

€ 39,90   € 19,–   € 14,–

A Die zu   B Die zu   C Die zu
   € 39,90.   € 19,–.   € 14,–.

2 Welche Zeit passt Carlos?

A 18.00 Uhr.   B 19.00 Uhr.   C 19.30 Uhr.

3 Was kaufen Hans und Margarete?

A Fleisch.   B Obst.   C Getränke.

4 Was nehmen die Leute?

A Die U-Bahn.   B Den Bus.   C Das Auto.

5 Über welche Mahlzeit sprechen die beiden?

A Über das Frühstück.   B Über das Mittagessen.   C Über das Abendessen.

6 Was ist die Dame von Beruf?

A Elektrotechnikerin   B Informatikerin   C Elektroingenieurin

Punkte: ◯ von 6

Teil 2

Sie hören 4 Ansagen. Passen die Sätze unten? Kreuzen Sie an: richtig oder falsch? Sie hören die Ansagen einmal.

richtig   falsch

1   Der Zug kommt wahrscheinlich um 10.30 Uhr.
2   Herr Zimmermann macht einen Besuch bei der Firma AGME.
3   Im Supermarkt sind heute die Rindersteaks teuer.
4   Das Schwimmbad schließt heute um 18.00 Uhr.

Punkte: ____ von 4

Teil 3

Sie hören fünf kurze Telefonansagen. Was ist richtig? A, B oder C? Sie hören die Ansagen zweimal.

1   Wie lautet das Angebot   A   1,98 Euro à 500 Blatt, Mindestabnahme 10.000 Blatt.
    vom Büromarkt Nehrlinger?   B   2,98 Euro à 500 Blatt, Mindestabnahme 1.000 Blatt.
                                C   1,98 Euro à 250 Blatt, Mindestabnahme 10.000 Blatt.

2   Was erklärt Sonja?   A   Sie muss die Verabredung absagen.
                                B   Sie muss die Verabredung verschieben.
                                C   Sie kann die Verabredung einhalten.

3   Welche Reservierung bestätigt A   Ein Einzelzimmer, Dienstag, für zwei Nächte.
    das Hotel Luisenhof?   B   Ein Einzelzimmer, Mittwoch, für zwei Nächte.
                                  C   Ein Doppelzimmer, Mittwoch, für eine Nacht.

4   Wann geht der Zug?   A   Um 7.00 Uhr.   B   Um 7.30 Uhr.   C   Um 7.45 Uhr.

5   Wer soll kommen?   A   Ein Techniker.
                                B   Frau Kunz
                                C   Herr Hartmann.

Punkte: ____ von 5

Hören, Teil 1–3: _____ x 1, 66 = _____ von 25 Punkten

Lesen (25 Minuten)

Teil 1

Lesen Sie die beiden Nachrichten. Sind die Aussagen 1–5 richtig oder falsch? Kreuzen Sie an.

Liebe Kolleginnen und Kollegen,   15. Juni

Ihr wisst ja schon, ab 30. Juni bin ich nicht mehr an meinem Arbeitsplatz bei der Weidrich AG. Am 1. Juli beginne ich in meiner neuen Stelle
in Potsdam. Ich möchte Euch für die gute Zusammenarbeit in den
letzten fünf Jahren danken und Euch zu einer kleinen Feier einladen.
    Zeit: Donnerstag, ab 18.30 Uhr
    Ort: Biergarten Sedlmeyer, Wiener Platz
    Herzlichst – Euer Sebastian Kögel

von:	Paula123@yahoo.de
Datum:	12. Oktober 2009, 16.47
Betreff:	frische Äpfel

Liebe Petra,
Jürgen sagt, bei Euch in der Gegend gibt es sehr schöne Äpfel,
frisch vom Baum und nicht teuer. Du kommst doch nächste
Woche zu uns. Kannst Du vier oder fünf Kilo mitbringen? Ich
glaube, Du fährst mit dem Auto. Da ist es ja kein Problem,
oder?
Gruß – Paula

richtig   falsch   richtig   falsch

1   Sebastian Kögel möchte mit   4   Petra besucht Jürgen und Paula.
    seinen Kollegen feiern.   5   Paula isst nicht gern Äpfel.
2   In zwei Wochen geht er in
    eine andere Firma.
3   Er kommt aus Potsdam.

Punkte: ____ von 5

Teil 2

Lesen Sie die Aufgaben 1–5. Welche Anzeige, welche Information passt? Kreuzen Sie A oder B an.

1 Sie suchen Räume für Ihre Firma.

A | **Angebot:** 70 m² Geschäftsräume, für Büro, Lager, Werkstatt usw. gute Lage in Winterthur Stadtmitte ☎ 052-776957

B | **Suche** 2-3-Zimmer-Wohung, Raum Frankfurt/Offenbach, Nichtraucher, ab 1. April. Angebote unter Chiffre OA 2345

2 Sie möchten Ihre Freizeit am Wochenende planen.

A
Vortrag im Bürgerhaus:
- **Photovoltaik**
- **Solarthermie**

Beratung – Planung – Finanzierung
Mittwoch, 19.00 Uhr

B
Löble Reisen
SONNTAG 11.6.:
München: Bavaria Filmstudios und Stadtbummel, € 21,–
Anmeldung und Info: 07532-4168

3 Sie wollen ein Auto kaufen.

A
- Neu- und Gebrauchtwagen
- Service
- Reparaturen
- Leasing

Autohaus Dietrich

B
Achtung!
Wir holen Ihr Altfahrzeug kostenlos ab – Anruf genügt!
Tel.: 0172-55 63 74

4 Sie möchten wissen: Wie komme ich zu Fuß vom Hauptbahnhof München zum Olympiastadion?

A www.stadtplan.net

- *Deutschlandkarte*
- *Bundeslandkarten*
- *Stadtpläne*
- *Hotelführer*

B www.dasoertliche.de

Suche
| Restaurants | Apotheken |
| Ärzte | Hotels |

5 Sie wollen essen gehen.

A
Pasta   Fisch   Fleisch   Pizza
Herzlich willkommen im
Gasthaus Schiff,
Hafenstraße 12

B
See-Terrassen
Kaffee-Spezialitäten

Punkte: ⟨◯⟩ von 5

Teil 3

Sind die Aussagen 1–5 richtig oder falsch? Kreuzen Sie an.

1 Hier kann man an sieben Tagen in der Woche essen gehen. richtig falsch

> **Unser Restaurant ist für Sie geöffnet:**
> Di–Fr, So 10.00–13.00 Uhr, 15.30–23.00 Uhr
> samstags von 10.00 bis 14.00 Uhr
> montags geschlossen

2 Hier gibt es im Juli billige Hosen. richtig falsch

> **25 Jahre Jeans Shop**
> **Jubiläumsverkauf – Jubiläumspreise**
> **20 % auf alle Modelle vom 1. – 31.7!**

3 Sie haben nach Feierabend Zeit. Sie können teilnehmen. richtig falsch

> Englisch lernen in kleinen Gruppen – maximal fünf
> Personen (keine Anfänger) Abendkurs, Beginn: 15. Mai.
> Anmeldung: 030-851 27 68

4 In der 2. Etage findet man Geschenke für Kinder. richtig falsch

> **2. Etage:**
> • Herrenbekleidung   • Sportartikel
> • Herrenschuhe   • Spielwaren

richtig falsch

5 Die Kursteilnehmer haben nachmittags frei.

Stundenplan				
Montag	**Dienstag**	**Mittwoch**	**Donnerstag**	**Freitag**
Unterricht	Unterricht	Unterricht	Unterricht	Unterricht
	M i t t a g s p a u s e			
	Unterricht		Unterricht	

Punkte: ( ) von 5

Lesen, Teil 1–3: _____ x 1, 66 = _____ von 25 Punkten

Schreiben (20 Minuten)

Teil 1

Heiner Schulte, Mitarbeiter der AGME GmbH, möchte den Kurs „Excel für Fortgeschrittene" von Montag, 12. Juli, bis Freitag, 16. Juli, machen. Er braucht den Kurs für seine Arbeit bei der AGME GmbH. Füllen Sie die Anmeldung aus.

Name: Schulte, Heiner
Kurs:
Dauer:
Beginn:
Firma:
Datum: 10.06.2009
Unterschrift: Schulte

Punkte: ( ) von 5

Teil 2

Schreiben Sie an Ihren Freund in Österreich. Er möchte Sie besuchen.
• Wann haben Sie Zeit?
• Was möchten Sie mit ihm machen?
• Wo wohnt er bei dem Besuch?
Schreiben Sie zu jedem Punkt ein bis zwei Sätze (ca. 30 Wörter).

Punkte: ( ) von 5

Schreiben, Teil 1 und 2: _____ x 1, 66 = _____ von 25 Punkten

Sprechen (15 Minuten)

Teil 1 (in Gruppen)

Vorstellung:

Wie heißen Sie?   Wie alt sind Sie?
Buchstabieren Sie.   Woher ...?
                     ...?

- Name?   • Sprachen?
- Alter   • Beruf?
- Land?   • Hobby?
- Wohnort?

Punkte: ◯ von 3

Teil 2 (in Gruppen)

Nehmen Sie zum Thema „Arbeit und Beruf" und zum Thema „Hobbys und Freizeit" eine Karte und formulieren Sie eine Frage. Ihr Nachbar antwortet.

Arbeit und Beruf	Arbeit und Beruf	Hobbys und Freizeit	Hobbys und Freizeit
Arbeitsplatz	Pausen	Freunde	Familie
Arbeit und Beruf	Arbeit und Beruf	Hobbys und Freizeit	Hobbys und Freizeit
Kollegen	Firma	Sport	Lesen
Arbeit und Beruf	Arbeit und Beruf	Hobbys und Freizeit	Hobbys und Freizeit
Kantine	Feierabend	Besuche	Wandern

Punkte: ◯ von 6

Teil 3 (in Gruppen)

Nehmen Sie zwei Karten. Bitten Sie eine Person um etwas oder reagieren Sie auf eine Bitte.

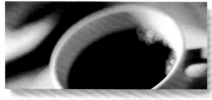
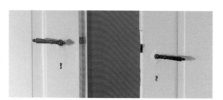

Bestellung

Einzelpreis
20 Pack Kopierpapier   € 2,19

Punkte: ◯ von 6

Sprechen, Teil 1–3: _____ von 25 Punkten

Braten, der – 39
Bratkartoffeln (Plural) 38, 39
brauchen A 46, 47, 56
braun 86, 87
Brief der -e 59, 97
Broccoli der 38, 56
Brot das -e 40, 56, 57
Brötchen das – 30, 40
Brücke die -n 67
Bruder der Brüder 96, 97
Buch das Bücher 36
buchen A 27, 86, 88
Buchstabe der -n 50, 60
buchstabieren A 7
Büfett das -s 38, 39
Bulgarien 7, 8
Büro das -s 8, 9, 38
Bus der -se 46, 47, 69
Butter die 40, 56, 57

C

Café das -s 69, 70, 76
Cafeteria die -s 69
CD die -s 50
Cent der – 49
charakterisieren A 60
Chef/in der/die -s/-nen 9, 70, 77
Chemie die 87
China 6, 7
Chinese/Chinesin der/die -n/-nen 37
City die -s 100
Clown der -s 87
Co. (= Compagnie) 6
Cocktail der -s 30
Cola die -s 36, 37
Computer der – 9, 27, 88
Creme die -s 56

D

da: Da habe ich Zeit. 16, 19
da: der Herr da 8
da: Da geht es nicht. 16, 19, 28
da 6, 10, 39
Dame die -n 59, 89, 93
Dank der 59, 98, 99
danke 10, 39, 66
danken für A 99
dann 50, 59, 60
das (Gr. S. 21)
das: Das ist ... 6, 7, 8
Daten (Plural) 8, 58
Datum das 48, 49, 78
Dauer die 48, 49, 88
dauern WIE LANGE 27, 28, 29
dazu 40
dein_ (Gr. S. 101)
delegieren A 78
den (Gr. S. 41)
denken 87, 90
denn 60, 76
der (Gr. S. 21)

deshalb 87, 89, 90
Dessert das -s 38
Deutsch 6
Deutsche der/die -n 37
Deutschland 8, 9, 17
Dezember der 79
Dialog der -e 18, 20, 46
dich (Gr. S. 101)
die (Gr. S. 11)
Dienstag der -e 26, 38, 78
Dienstjubiläum das -jubiläen 98
dienstlich 18
Dienstreise die -n 19, 78
diese_ 60, 98, 99
diktieren A 17
Ding das -e 100
Dipl. (= Diplom-) 18, 19
dir (Gr. S. 91)
direkt 66, 69
Disco die -s 26, 29
Discount der 60
diskutieren 29, 36, 49
doch 47, 89
doch: Kommst du nicht? –
  Doch. 47
Donnerstag der -e 38, 98
donnerstags 26, 30
dort 47, 89
Dose die -n 56
Dr. (= Doktor) 8, 30, 69
drei 16, 17, 38
dreimal 37
dreizehn 26, 27, 49
Dressing das -s 38
dringend 59, 78
dritt: zu dritt 77, 89
dritte_ 66, 67, 68
Drucker der – 59
Druckerpatrone die -n 59
du (Gr. S. 11, 31)
dunkel 86, 87
DVD die -s 58

E

EDV die (= Elektronische
  Datenverarbeitung) 28, 29
egal 60, 88
Ei das -er 28, 40, 56
eigen_ 8, 97
eilig 59
ein: um ein Uhr 16, 17, 20
ein_ 10, 16, 17 (Gr. S. 21)
einfach 47, 59
Einfahrt die -en 67
Eingabe die -n 50
ein.geben, gibt ein A 50
ein.halten, hält ein A 78
einhundert 57, 58
einhunderttausend 58
Einkauf der -käufe 57, 60

ein.kaufen A 57, 77
Einkaufszettel der – 57, 60
Einladung die -en 36, 77, 98
einmal 56
Einmannbetrieb der -e 20
eins 16, 18, 27
ein.schalten: Gerät 50
ein.setzen A 46
ein.stellen: Uhrzeit 50
eintausend 58
Eintopf der 38, 39
Eintritt der 30
Einzelzimmer das – 80
Eiscreme die -s 40
Elektro- 8, 9, 59
elf 16, 49
Eltern (Plural) 9, 97
E-Mail die -s 18, 19, 59
Empfang der 68, 69, 99
empfangen, empfängt A 79
empfehlen, empfiehlt A 80
Ende das -n 20, 47, 50
Enkel/in der/die -/-nen 97
Entfernung die -en 48, 49
entlang 66
Entscheidung die -en 49, 58, 89
Entschuldigung, ... 10, 66, 67
er (Gr. S. 11, 31)
Erbse die -n 56
Erdgeschoss das -e 68, 69, 86
erfahren 100
Erfahrung die -en 40
Erfolg der -e 98
erfolgreich 20
ergänzen A 38, 69
erkennen A 90
erklären A 50
erledigen A 78
erreichbar 18, 19, 88
Erscheinen das 98
erst 76, 77, 80
erste_ 58, 60, 67
Erwachsene der/die -n 9
erwarten A 40, 69, 100
es: es geht / es gibt 9, 16, 17
es (Gr. S. 31)
essen, isst 36, 37, 38 (Gr. S. 41)
Essen das – 19, 40, 80
Etage die -n 68; 69, 86
etwas 59, 69
euch (Gr. S.101)
euer_ (Gr. S. 101)
Euro der -s 17, 20, 47
Europäische Union die 9
exklusiv 60
Exkursion die -en 26, 28
Express der 100
extensiv 89
extra 89

F
Fabrik die -en 9
Fach- 89
fahren WOHIN, fährt 46, 47, 67
  (Gr. S. 51)
Fahrpreis der -e 48
Fahrrad das -räder 46, 47, 99
Fahrsimulator der -en 100
Fahrt die -en 48
Fahrzeug das -e 100
falsch 6, 26, 30
familiär 99
Familie die -n 17, 40, 97
Familienmitglied das -er 97
Familienname der -n 6, 7, 8
Farbe die -n 86, 87
fast 57
Fast Food das 37
Fax das -e 18, 19, 59
Februar der 79
fehlen 57
Fehler der – 20
Feier die -n 96, 98, 99
Feierabend der -e 28, 98
feiern A 96, 98, 100
Fernsehen das 100
fertig 40
Fest das -e 98
FH (= Fachhochschule) die -s 18
Film der -e 76
finden WAS WIE 38, 57, 60
finden A 30, 47, 49
Firma die Firmen 8, 28, 60
Firmenjubiläum das -jubiläen 98
Fisch der -e 38
Flasche die -n 56, 57
Fleisch das 36, 40, 56
Flexi- 48
Flohmarkt der -märkte 100
Flug der Flüge 48, 49, 90
Flughafen der -häfen 48, 67
Flugzeug das -e 48, 49
Form die -en 60, 77, 78
Formulierung die -en 69
Foto das -s 19, 20, 97
Fotografieren das 99
Frage die -n 27, 38, 39
fragen A 7, 16, 18
Frankreich 7, 27
Franzose/Französin der/die
  -n/-nen 37
Frau die -en 6, 7, 8
frei 27, 39
Freitag der -e 26, 38
freitags 26
freuen sich auf A 80
Freund/in der/die -e/-nen 10, 36, 40
freundlich 40, 59, 80
Freut: Freut mich. 8, 10, 96

frisch 30
Frist die -en 89
froh 98
Frucht die Früchte 38, 39
früh 36, 37, 89
frühestens 76, 80
Frühling der 100
Frühstück das 40
frühstücken 77
fünf 16, 17
fünfmal 57
fünfzehn 26, 27
fünfzig 27
Funktion die -en 9, 99
funktionieren 90
für A 8, 20, 29
Fuß: zu Fuß 46, 47, 57
G
Gang der Gänge 20
ganz 89, 97, 100
ganztags 88
Garage die -n 70
Gast der Gäste 40, 98
Gastgeber/in der/die -/-nen 99
gebacken 38
geben, gibt D A 36, 39, 40
  (Gr. S. 41)
geboren 97
Gebot das -e 20
Gebühr die -en 27, 48, 49
Geburtstag der -e 78, 96, 97
geehrte_ 29, 59, 80
gefallen, gefällt D 86, 87
  (Gr. S. 91)
gegen A 46, 47, 49
gegen: gegen 21.00 Uhr 80
gehen WOHIN 36, 46, 47
geht: Das geht./Geht es dir gut?
  16, 17, 19
gelb 86, 87
Geld das 49
Gemüse das 28, 36, 37
Gemüseteller der – 38, 39
genau 17, 19, 60
genug 57, 89, 90
genügen 30
geöffnet 30, 89
gerade 36, 40, 80
geradeaus 66, 67, 69
Gerät das -e 50, 78
Gericht das -e 38
gering 59
gern 16, 36, 37
gesamt- 48, 58, 88
Geschäft das -e 19, 30, 40
Geschäftsfall der -fälle 79
Geschäftsführung die -en 69
Geschenk das -e 40, 98, 99
geschlossen 30

Gespräch das -e 28, 29, 36
gesund 46, 47
Gesundheit die 98
Getränk das -e 40, 56, 98
Getriebe das – 20
Gewinn der -e 100
Ghana 17
gibt: es gibt 20, 29, 36
Glas das Gläser 40, 56, 89
glauben A 28, 36, 47
gleich 48, 66
gleichfalls 39, 98
Glück das 98, 99
Glückwunsch der -wünsche 96, 98,
  99
GmbH (= Gesellschaft mit
  beschränkter Haftung) die -s
  18, 59, 60
Grafik die -en 20
gratulieren D 98, 99
grau 86,87
groß 89, 97, 100
Großbritannien 37
Großeltern (Plural) 97
Großmutter die -mütter 97
Großvater der -väter 97
grün 86, 87
Gruppe die -n 29, 58, 88
Gruß der Grüße 39, 66 78
Grüß dich! 6, 10, 80
Grüße: mit freundlichen
  Grüßen 59
günstig 49, 58, 60
gut 29, 39, 46
Gute: Alles Gute! 98, 99
Guten Tag! 6, 7, 8
H
haben A, hat (Gr. S. 31)
halb 76, 77, 99
Halle die -n 70
Hallo, ... 6, 7, 10
Haltestelle die -n 46, 48, 49
Handout das -s 28
Handy das -s 18, 50, 57
Hardware die 28
hast (Gr. S. 31)
hat (Gr. S. 31)
hätte_: Ich hätte gern ... (Gr. S. 41)
häufig 17
Hauptbahnhof der -höfe 47, 66
Hauptgericht das -e 39
Haus das Häuser 97
Hausaufgabe die -n 77
Hause: zu/nach Hause 80, 98
Haushalt der -e 17
Hausmeister der/die -/-nen 69
Hausnummer die -n 19
Hbf (= Hauptbahnhof) der 48, 49
Heimat die 30

passen zu D 20, 60, 79
passend 60, 69, 79
passieren 69
Pasta die 30, 37
Pause die -n 26, 27, 29
PC der -s 9
per: per Telefon 18, 59
perfekt 88
permanent 20
Person die -en 17, 69, 88
Personal das 28, 69, 78
persönlich 19
Petersilie die 38
Plan der Pläne 77
planen A 29, 60, 76
Planung die -en 29, 80
planvoll 60
Platz der Plätze 27
Platz: Platz nehmen/haben 39, 97
Polizist/in der/die -en/-nen 87
Pommes frites (Plural) 38
Pony das -s 100
Position die -en 98
Post die 18, 67, 70
Postleitzahl die -en 19
Praktikant/in der/die -en/-nen 9, 28
Praktikum das Praktika 97
praktisch 60, 89, 90
Präsentation die -en 29, 100
Preis der -e 26, 48, 49
Premiere die -n 100
prima 10
Priorität die -en 78
privat 18, 49, 98
pro: pro Tag 26, 27, 37
Probefahren das 100
Problem das -e 16, 28, 29
Produkt das -e 9
Produktion die 9
Produktionsleiter/in der/die -/-nen 9
Programmierer/in der/die -/-nen 9
Projekt das -e 69
Projektor der -en 50
Prospekt der -e 28
Prost: Prost Neujahr 98
Prozent das -e 58
Psych. (= Psychologe) 18, 19
Pudding der -s 38
Pullover der – 86, 87
Punkt der -e 9, 18, 28
pünktlich 40, 80
Püree das -s 38, 39
Putzmaschine die -n 59

R
Rad das Räder 20
Radio das -s 100
Raum der Räume 68, 69, 98
Ravioli (Plural) 38
Rechner der – 9

rechte_ 68, 97
rechts 50, 58, 67
Regen der 80
Regenschirm der -e 47
Reichstag der 67, 70
Reihenfolge die -n 78
Reis der 36, 37, 56
Reise die -n 78
Rennen das – 20
reservieren A 80
Reservierung die -en 80
Restaurant das -s 37, 40, 98
richtig 6, 7, 26
Richtung die -en 66
Rinderbratwurst die -würste 38
Rindersteak das -s 39
Rock der Röcke 86
Röstzwiebel die -n 38
rot 86, 87
Rotwein der -e 37
Roulade die -n 39
Rückfahrt die -en 48, 49
Rückflug der -flüge 48, 78
Rückgabe die -n 89
Rückreise die -n 89
rund: rund um die Uhr 30
Russland 8

S
Sache die -n 80
Saft der Säfte 40
sagen A 10, 38, 49
Sahne die 38
Sakko das -s 86
Salat der -e 38, 39, 40
Salz das 39
sammeln A 89
Samstag der -e 66, 89, 100
samstags 26, 30
Satz der Sätze 7
S-Bahn die -en 46, 47
Schal der -s 86
Schale die -n 56
schicken A 69
schlecht 28, 38, 47
schließen A 30
schließlich 58
Schloss das Schlösser 26
Schluss: zum Schluss 50
schmecken WIE 39
schnell 46, 48, 78
Schnitzel das – 38, 39
Schokolade die -n 38, 56
schon 39, 40, 47
schön 58, 60, 66
Schornsteinfeger/in der/die -/-nen 87
schreiben A 7, 8, 9
Schreibtisch der -e 60
Schuh der -e 59, 86, 87

Schulung die -en 88
Schutz- 87
schwarz 86, 87
Schweden 7
Schwein das -e 39
Schweiz die 6, 8, 40
Schwester die -n 97
Schwiegereltern (Plural) 97
Schwiegermutter die -mütter 97
Schwiegersohn der -söhne 97
Schwiegertochter die -töchter 97
Schwimmbad das -bäder 67
schwimmen 77
schwierig 30
sechs 16, 20, 28
sechste_ 66
sechzehn 27
sechzig 27, 59
sehen A 66, 90 (Gr. S. 51)
sehr 20, 37, 60
sehr: Sehr geehrte ... 29, 59, 80
sein, ist (Gr. S. 11)
sein_ (Gr. S. 101)
Seite die -n 69, 97
Sekretär/in der/die -e/-nen 8
Sekretariat das -e 69, 80
Sekt der 100
selten 9, 17, 36
Seminar das -e 99
sensationell 30
September der 78, 79
Service der 28, 30, 69
Shop der -s 20
Show die -s 76
Showband die -s 100
Sicherheit die 100
Sicherung die -en 58
Sie (Gr. S. 11)
sie (Gr. S. 11)
sieben 16, 49, 67
siebte_ 67
siebzehn 27
siebzig 27
sind (Gr. S. 11)
singen A 98
sitzen WO 68, 90
Sitzplatz der -plätze 46
SMS die – 18, 77
so: So ist es. 9, 40, 57
so: so spät/so viel/nicht so gern 36, 37, 76
sofort 20, 50
Software die 28
Sohn der Söhne 97, 100
sollen (Gr. S. 91)
Sommer der – 100
Sonderangebot das -e 60, 86
Sonntag der -e 29, 89, 100
sonntags 26, 30

Quellennachweis